データを重視しない議論に喝!

「強い日本」をつくる論理思考

David Atkinson
デービッド・アトキンソン
×
Heizo Takenaka
竹中平蔵

ビジネス社

まえがき　「論理思考」が欠落した日本

世の中の理不尽なこと

二〇二一年度の慶應大学環境情報学部の入試で、面白い設問がありました。あなたが世の中で不条理と感じることを、その理由とともに一五項目書きなさい、という趣旨の問題です。読者の皆さんは、どのようにお答えになるでしょうか。もちろんこれは入試の小論文問題ですから、受験する学生の個性ある回答を期待してのものです。ただ一例として、ある予備校が示した「模範回答」には、次のようなことが書かれていました。

・人々が真偽を確認せず情報を拡散する風潮（落ち度がない人々が風評被害にさらされ、社会的制裁を加えられることがあるため）
・国政選挙における小選挙区制（死票が増え、多様な民意を反映させることが困難になるため）
・高所得者ほど税率が上がる累進課税制度（努力を続けて高い地位と収入を得た人ほど損をす

ることになるから）
・化粧を禁止する校則（社会では一般的に化粧をすることがマナーとされているにもかかわらず、その練習をする機会を学生から奪っているため）

どれに対しても、当然反論が予想されます。しかし、少なくとも論理的に考える姿勢としては良いことだと私には感じられます。

考えてみれば、今の日本の社会には、確かに不条理と感じることがたくさんあります。私は長年、経済の問題を中心に政策の研究をしてきました。そして小泉内閣の五年五カ月、政府の経済政策の責任者として仕事をしました。

その間、「これはおかしい！」という問題のいくつかを解決するよう取り組みました。不良債権の処理や郵政民営化などが代表的な政策の成果ですが、その過程では多くの反対に遭いました。バブルが崩壊した後はバランスシートを調整する（つまり企業の過剰債務を解消し銀行の不良債権を償却する）のは論理的に当たり前の話で、多くの国でこれを行ってきました。

そして民間でできることは民間でやる（諸外国に比べて大きい日本の公的機関の運営を民間

に委ねる）のも、論理的に考えれば当然の話です。しかし、そこには今の制度で恩恵を受けている人たち（いわゆる既得権益者）がたくさん存在し、反対する政治的なムーブメントを起こしました。当時は小泉総理のリーダーシップでそうした改革を進めることができましたが、依然として普通に〝エビデンス〟に基づいて〝論理的〟に考えれば「おかしなこと」つまり「不条理なこと」が、日本にはたくさん存在しているのです。

二〇二〇年、コロナ問題の真っ只中で就任した菅総理は、よく次のように述べています。「自分は、世の中の多くの人が〝おかしい〟と思うことを正していきたい」

そしてこうした問題の根底にある省庁間の「縦割り」解消を、まず実行しようとしています。

この本は、世の中の理不尽やおかしなことを解決するために、そして経済社会を良くするために具体的にどのようにしたらいいのか、論客のデービッド・アトキンソンさんと二人で議論したことを取りまとめたものです。

論理的に考えない人

少し考えてみましょう、世の中にこのような理不尽なこと、納得できないおかしいことが、なぜ解決できないまま放置されてきたのでしょう。

この対談を通じて、私は以下のような三つの理由があると感じています。

第一は、極めて基本的な問題として、残念ながら今、国民一人ひとりが、社会の問題をしっかり論理的に考えていないのではないか、という点です。例えば、昨年来世界をそして日本を悩ませてきた新型コロナウイルスの問題です。

日本ではしきりに「医療崩壊の危機」という言葉が使われます。確かに、東京や大阪ではコロナ感染者を収容する病床が不足し、病院の勤務医や看護師の過酷な仕事ぶりが報じられてきました。

しかし「論理的に」考えれば、これはおかしな話です。なぜなら、日本は人口あたりの病院ベッド数が世界一多い国です。その一方でコロナ感染者や死者数（対人口比）は、アメリカやヨーロッパに比べて大幅に少ない国、つまりコロナ被害は相対的に軽微な国です。病院のベッド数の国際比較、感染者・死者数の国際比較という客観的なエビデンスに基づいて論理的に考えれば、何か根本的なところで医療制度に問題がある、と考えるはずです。

しかし多くの人々はこの問題を無視し、感染者数が増えたか減ったかという表面的な現象に目を奪われてきたのではないでしょうか。この問題については第一章で詳しく議論しますが、要するに一人ひとりがもっと問題の本質を捉え論理的に考えることが、社会を良くする基本条件だと思います。

本書の第二章の議論をした際に、デービッド・アトキンソンさんはズバリ、「日本の大学（とくに文系）を出た人の論理的思考力が、あまりに低いことに驚いた」という趣旨の発言をしています。

なかなかショッキングな発言ですが、重く受け止めるべき問題だと思うのです。

既得権益者の抵抗

社会全体として、さまざまな重要問題（コロナ問題、財政問題、格差問題など）の本質を捉え論理的に考えることを阻んでいるもう一つの要因があります。それは先に述べたように、今の「おかしな」制度で特別な利益を得ている企業や個人が存在し、彼らが論理的に正しい政策を妨害することです。

こうした人々は、官僚や政治家を巻き込んで力（政治力）を持ち、時には広告に使う資金量（経済力）にモノを言わせてメディアをも巻き込み、経済社会全体を良くするための政策に反対します。

私は政策研究者としてさまざまな提言をしてきましたし、また小泉内閣では経済や金融の担当閣僚として政策をよくする仕事に取り掛かりました。その中で不良債権処理をしようとした時は大手銀行が反対し、不良債権を処理したら多くの失業が出るなどという、自己弁護のキャンペーンを張りました。

また郵政民営化を行った時は、全国の郵便局の局長が大挙して議員会館に押しかけ、反対運動を展開しました（当時の郵便局長は国家公務員でしたから、本来なら政治活動は禁止でした）。

結局、これらは総理のリーダーシップで乗り越えることができましたが、「バブル後はバランスシート調整が必要」、「民間でできることは民間でやるべき」といった、論理的に当たり前で世界で広く行われていることに対して、恥ずかしげもなく大きな抵抗があったのです。

世論の移ろい

論理思考に基づく政策や制度がなかなか実現しない第三の要因は、世論の移ろい易さです。もっと具体的に言うと、甚だしく論理思考にかけたワイドショー、それを面白おかしく拡散するSNSによって、かつてなかったほどに世論にバイアスがかかり易くなっているという事実です。

少し前、私がテレビで世論は間違うと述べたことについて、面白おかしく議論が盛り上がりました。正確には、「世論は間違う、と言うか〝移ろい易い〟」と述べたのですが、そんなことはお構いなしに、政策を論理的に考えているとはとても思えない芸能人も巻き込んで、議論（主として批判）が展開されました。

ワイドショーと称するテレビ番組が論理思考と甚だ乖離《かいり》した議論が行われていることは、本書で何度も出てきます。今や多くの人はテレビを見なくなっているのですが、じつはそこで思いつきのように話されたことが、ネットニュースなどで拡散され、それが世の中の雰囲気、すなわち世論に大きな影響を与えている点が重要です。

民主主義の社会では、政治のリーダーも世論の動向に注意を払わざるを得ません。この世論が、論理思考に基づく政策や制度作りを難しくするのです。

過去を振り返っても、社会問題に対して世論は短期的に論理的ではない評価を下し、結果的にのちになって大きく変化した例が多数ありました。要するに世論は、間違い移ろうのです。そしてこれが、時に政策を歪《ゆが》めるのです。

古くは、日米安全保障条約の問題がそうでした。日米安保条約は一九六〇年に締結され、現在では六九パーセントの人々がこれを評価しています（二〇一九年三月、外務省調査）。しかし当時、賛成は二九パーセントしかありませんでした（一九六〇年一月、朝日新聞）。

また私が関係した二〇〇三年五月のりそな銀行への公的資本注入では、当初六一パーセントの人が評価しない（評価は三五パーセント）と回答しました（朝日新聞調査）。しかしその後、株価が一気に上昇し、この資本注入が不良債権処理の象徴的政策として評価されるようになりました。

私が仕えた小泉総理は、「国民の声や市場の評価は尊重しなければならない。しかしその時々の世論調査や株価に一喜一憂しない。正しい政策は、やがて評価されると信じてやるべきことをやる」と何度も述べておられました。短期的な世論だけで政策を判断すると、論理思考を欠き、道を誤ることになりかねないのです。

今回の対談を通して、デービッド・アトキンソンさんから多くのことを学びました。オックスフォード大学で論理思考の基本を学び、ゴールドマン・サックスで世界の最先端の問題に取り組んでこられた経験は、さすがに貴重です。

とりわけ、中小企業の問題を論理思考に基づいて明解に分析している点、日本のインバウンド戦略に大きな貢献をされてきた点など、読者の皆さんにも大きな刺激になると思います。何時間も、根気よく対談してくださったことに感謝申し上げます。

本書の企画から原稿起こし、そして出版に至るまで、ビジネス社の中澤直樹さんには大変お世話になりました。また校正と資料収集の過程では、(株)ＳＨＡＩＦの祖父江麻世さんに多大なご尽力をいただきました。お二人の貢献に深く感謝し、心から御礼申し上げます。

デービッド・アトキンソンさんと私の本音対談を、どうぞお楽しみください。

二〇二一年七月

竹中平蔵

第1章　政府のコロナ対策、何が問題か

1　コロナ禍で見えた日本社会の「病理」

第2章 日本の経済成長に求められるもの

4 世界に遅れをとる日本の高等教育

5 リカレント教育の充実を図れ

第3章　改革は中途半端でなく、徹底的に

6　郵政民営化は失敗だったか

7　中小企業の生産性はもっと上げられる

第4章 日本に欠けている「競争戦略」の視点

8 「中小企業を守れ」のどこが間違いか

9 日本のコーポレート・ガバナンスの問題点

第5章 AI、デジタル庁の可能性

第1章

政府のコロナ対策、何が問題か

1 コロナ禍で見えた日本社会の「病理」

コロナ禍における政府の対応をどう見るか

竹中平蔵

デービッド・アトキンソンさんとは、菅義偉首相が官房長官の時代から、議論を交わしてきました。そして菅内閣が二〇二〇年一〇月に立ち上げた「成長戦略会議」では、同じメンバーとしてご一緒しています。

今回の対談では「日本経済の新陳代謝！」というテーマで、日本のマスコミや高等教育、官僚の問題、さらには先進国中とりわけ低いとされる日本の生産性など、さまざまな角度から議論していきたいと思います。

まずは、コロナ禍における日本政府の対応について、どのようにお考えか、お話を伺いたいです。東京に関していえば、これまで三回の緊急事態宣言が発令されました。これについてはどうでしょう。

緊急事態宣言には、ほぼ効果がない

デービッド・アトキンソン

先日私なりに分析したのですが、新型コロナウイルスの感染は人口規模、人口密度、年齢、季節によって、ほぼ決まります。これらについて政府が対応できることは、かなり限定的です。

人口規模で言えば、人口が増えれば増えるほど、感染率が上がることが確認されています。これは人口が一億人と三億人の国を比べた時、三億人の国で三倍の感染者が出るという話ではありません。三倍以上の感染者が出ることを意味します。日本は世界第一一位の人口大国ですから、世界的に見て感染者が多くなりやすい傾向にあると言えます。

また人口密度が高いほど、やはり感染率が上昇します。つまり都市化が進めば進むほど、感染者が多くなるのです。

わかりやすい例が、島根県です。二〇二一年四月の段階で、最も感染者が少ないのが島根県。同県は人口密度が日本で一番低い。ある意味、最初から物理的なソーシャルディスタンスができているから、感染者が少ないのです。ニュージーランドやアイスランドなどの感染率が低いことにつながっています。日本でも、都道府県別の感染率と集中密度に非常に強い相関関係があります。東京、大阪や北海道はその典型的な例です。

また、年齢については、若い人は重症化しにくい。アフリカの感染率と死亡率が予想より全然低い原因はアフリカの平均年齢が一八歳だからだそうです。季節については、冬はインフルエンザと同じように感染しやすい。これは新型コロナウイルスの感染拡大から一年以上が経って、一年分のデータが揃《そろ》い、わかったことです。統計分析の結果、やはり季節性があることが確認されました。

世界の感染状況を見ると、「台湾の感染率が低い」とか「ヨーロッパではドイツの感染率が低い」といったことが言われています。これらは以上の四つに当てはめると、九割ぐらい説明がつきます。

あとの相関関係はほとんど偶然です。マスコミは、「女性の首相のほうが対応がうまい」といったような記事をよく出しますが、大半は因果関係のない特徴を、勝手に結びつけているに過ぎません。

例えば、国連データのイギリスとドイツの一〇〇万人あたりの感染者数の合計を比較して、前者が世界五一位、後者が七四位と、イギリスが高い理由を、首相の性別の違いで解説したりするのです。しかし、四つの特徴の一つである集中密度を比較すると、人口密度はイギリスが世界二三位で、ドイツは五三位です。

したがって、緊急事態宣言の発令など政府が果たせる役割はありますが、大きなトレンドに対してはマスコミが言うほど影響があるとは思えません。国ごとの感染率は前述の四つの特徴によって決まるものであって、まさか新型コロナウイルスが、首相の発言を聞いて行動を変えるわけもありませんから（笑）。

ちなみに、感染率では、日本は世界一三九位と低いです。死亡率では一二八位です。ただ、PCR検査では世界一四〇位でした。やはり、医療体制の対応はよくないことがわかります。

一〇〇〇人規模の重症者数で医療崩壊が起こる不思議 ——竹中平蔵——

今のご意見は、私も重要だと思います。感染拡大について議論する時、多くは「首都圏」と、ひとくくりにします。とはいえ神奈川県を見ると、圧倒的に多いのは横浜市です。同じ政令指定都市でも川崎市は、横浜市よりずっと感染者が少ない。人口規模と密度が、まったく違うからです。

東京都にしても、新宿区と三多摩（西多摩、旧北多摩、旧南多摩）では全然違い、三多摩の感染率は低いです。おっしゃるように人口規模と密度でかなり説明ができ、季節性についても容易に想像がつきます。問題は厚生労働省が、こうしたわかりやすい数値をわかりやすく説明していないことです。

ほかにも新型コロナウイルスには、いくつか興味深い発見があります。一つは六〇歳以下の女性の死亡者は、日本ではほとんどいないことです。これは仮説ですが、死亡するかどうかは、血管の軟らかさに依存するという説があります。

だから子どもと赤ちゃんは死亡しにくい。男性のほうが女性よりも早く血管が硬くなるので、死亡率も高くなる。ある年齢から一緒になりますが、六〇歳以下では日本の場合、女性はほとんど死亡していません。

また新型コロナウイルスでは死亡率が最も問題になりますが、ご承知のようにアメリカやヨーロッパと比べて、日本を含むアジア諸国の死亡率はケタ違いに低いです。そこには京都大学iPS細胞研究所の山中伸弥所長が言われる「ファクターX」の存在が考えられます。

「アジア人はマスクをつける習慣があるから」といったことだけでは、絶対に説明がつきません。もっと根本的な、DNAレベルでの違いを前提にしないと、この差は説明できない。人口に対する死亡率は、アメリカは日本の約四〇倍です。でも人口密度は、日本のほうがはるかに高いのですから。

これらを踏まえて政府は何をすべきか。新型コロナウイルスの感染力は、素人目にも非常に高いことがわかります。簡単に抑えられるものではなく、立憲民主党が言う「ゼロコロナ」はあり得ない話です。「インフルエンザゼロ」「風邪ゼロ」があり得ないのと同じことなのです。それよりも重症化率と死亡率を減らすことを掲げ、みんなで努力するしかありません。

その観点で言うと、日本の重症者数は増えたといっても一〇〇〇人強です。一方で日本には、一六〇万人分の病床があります。そのうち新型コロナウイルスの感染者に割り当てられているのは、現状では三パーセント以下です。しかも重症者にあてられる数は、もっと少ない。

本来一〇〇〇人規模の重症者数で、一六〇万の病床がある国に医療崩壊が起こるなど、あり得ません。これは日本の厚生労働省を中心とした議論のあり方と、医療のリソースの使い方に根本的な問題があることを示しています。そこをきちんと議論して、今後の感染拡大に備える必要があります。

たまたま日本は死亡率が相対的に低いので何とかなっていますが、今後アメリカやヨーロッパに比べ、日本の死亡率が四〇倍高いパンデミックが来ないとも限りません。やはり次に備えた、本質的な議論をする必要があります。

アジアやアフリカでパンデミックに強い理由
デービッド・アトキンソン

これは海外の学会で言われている仮説ですが、歴史的に見て一部の病気、とくにパンデミックとなったもののほとんどは、アジアかアフリカから発生しています。つまりアジアやアフリカはパンデミックを生みやすい地域であり、何千年もの間次から次へと発生しています。医療体制が充実する以前から、そういう地域で生き延びた人種がアジア人とアフリカ人です。

つまり生き残ったのはパンデミック、とくにインフルエンザ系のパンデミックに強い人たちのはずです。最近発生したものを見ても、AIDS（後天性免疫不全症候群）、MERS（中東呼吸器症候群）もSARS（重症急性呼吸器症候群）も昔は黒死病も、全部アジアやアフリカから発生しています。

その意味で、アジア人の免疫耐性は強いはずです。

今回のパンデミックで興味深いのは、成功していると言われている国、感染率や死亡率などが少ない国を大陸ごとに見ると、アフリカ大陸が一番影響を受けていないのです。例えば新型コロナウイルスの対応ランキングの六位は、アフリカ中部にあるルワンダです。理由はアフリカ大陸は平均年齢が一八歳と若く、人口密度も低いからです。季節性も関係していると言われています。

そしてもう一つ学会で言われている仮説が、アフリカは医療体制が充実しておらず、かついろいろな病気が蔓延《まんえん》しやすいため、もともと免疫耐性が強い人が多いというものです。五大陸、つまりオーストラリア、アジア、アフリカ、欧州、アメリカというくくりで見ると、黒死病もそうですが、欧米や南米が多くやられています。免疫耐性が弱いのが白人で、黒死病の時は五〇パーセントが亡くなっています。

獣医師を重視しないことも日本で感染症対策が遅れた一つ　竹中平蔵

今、免疫耐性と言われましたが、やはり「免疫力」は大きなキーワードです。今はワクチンが話題になっていますが、もともと人類は、免疫力だけで生き残ってきたのですから。免疫についての議論が本格化したのは、一九世紀末にロンドンでコレラが流行した時です。コレラ菌を発見したのはドイツのロベルト・コッホで、この分野ではフランスのルイ・パスツールも活躍しました。

面白いのは日本人も活躍していることで、コッホの弟子だった北里柴三郎がペスト菌を発見しています。さらに帰国した北里柴三郎に師事した志賀潔が、赤痢菌を発見しました。赤痢菌の正式名のShigellaは、「志賀」の名にちなんだものです。

いずれも明治時代の話で、それ以前はエドワード・ジェンナーが開発した天然痘ワクチンがあるぐらいでした。ほとんど免疫力だけで、生き残っているのです。

また免疫力の話では、クリストファー・コロンブスにも興味深い話があります。西インド諸島にコロンブスが到着して以降、ヨーロッパの人々が南米に行きますが、この時インフルエンザや結核を持ち込むのです。それで南米の人たちが、バタバタと死んでいった。ある地域では先住民の八〜九割が死んだとも言われ、スペインが容易に新大陸を征服できた一つの理由と言われています。免疫力があるかないかは、すごく重要なポイントになると思います。

またもう一つ考えておくべきは、現在の感染症は、基本的に人間の病気と動物の病気が一緒になっていることです。その中で今回の新型コロナウイルスも出てきたのですが、日本の大学で医学部と獣医学部を両方持っているところは、一つもありません。

今マスコミなどで感染症の専門家と称する人がいろいろ議論していますが、ほとんどが医学部の人です。本来、感染症専門家は獣医師のほうが多いにもかかわらず、日本は獣医師を重視しない。そのため感染症対策が、すごく遅れている部分があります。

ちなみに大阪都構想の流れの中で、大阪府立大学と大阪市立大学が合併することになりました。公立大学法人大阪として二〇二二年に開校予定で、現在大阪府立大学には獣医学科、大阪市立大学には医学部があります。これで初めて、医学と獣医学を持つ大学ができることになります。

イギリスは病床の五割を新型コロナウイルス感染者にあてた
──デービッド・アトキンソン──

私の母国・イギリスと日本を比べると一人当たり病床数は、日本が五倍以上あるそうです。一人当たりＩＣＵ病床はイギリスの倍あり、人工呼吸器も三倍です。一方でイギリスの累積感染者は、人口一〇〇万人あたりで日本の一一倍ほどあります。病床数などに対する感染者数で見れば、何十倍の違いがあることになります。

ところがイギリスでは、医療崩壊の話がほとんど聞こえてきません。イギリスの親しい医師に聞いても、「聞いたことがない」と言います。医療崩壊に備えて不急の手術を延期するという話もありましたが、実際に延期したケースは少なかったようです。イギリスは民間病院が少なく、大半が国立なので、国は病院を効率よく活用できる違いはあります。

また日本で新型コロナウイルスに感染した患者さんの治療に対応していた医療従事者は、一〇万人しかいないと聞きます。病床も民間の数パーセントぐらいしか対応していないと報じられました。これもイギリスでは考えられない話です。病床も、イギリスは全体の四、五割が、新型コロナウイルスの感染者にあてられました。

こうした話も含め、私が日本の国策を長年見る中で感じるのは、政府と民間経済が連携していないのではないか、ということです。「PCR検査数を増やす」という話が出れば、いちおう検査数は増えます。「ベッド数が足らない」となると、やはりいちおうは増やします。とはいえ、動いているのは国ばかりで、政府の目標は達成されない。民間がほとんど動いていないからです。

私がゴールドマン・サックス証券で働いていた時代に担当していた日本の都市銀行もそうでしたが、「国策」と言われているのに民間は動かない。結局、金融危機後に国有化して初めて動いた。竹中先生が金融担当大臣を務められた時も、そうだったと思います。このあたりをどうお考えですか。

非常事態時のガバナンス体制を持たない日本

竹中平蔵

今デービッド・アトキンソンさんが言われたことが、今回の新型コロナウイルスの最大の問題です。日本では社会全体をガバナンスするシステムが、きちんとできていません。非常に曖昧《あいまい》なガバナンスになっています。典型が、私が総務大臣の時に実感した「国と地方の関係が曖昧な分権になっている」というものです。

象徴的なのは、今回のコロナ禍でも政府が「命令」を出せないことです。自粛「要請」しかできません。アメリカでは政府がＧＥ（ゼネラル・エレクトリック）に命じて、人工呼吸器を作らせました。「国防生産法」という、今から七〇年前、朝鮮戦争の時に作った法律で企業に命令を出したのです。

アメリカに限らず多くの国では、戦争という非常事態時におけるガバナンス体制を持っています。ふだん政府は命令など下しませんが、いざという時は命令を出して、それに対応させる。そうしたシステムや法体系を社会全体として持っていないと困るのです。

ところが日本には、それがまったくない。しかも政府と地方が曖昧な分権になっていて、そこから起こった一つの問題が病床数の逼迫《ひっぱく》です。

「感染者用の病床を確保」は、国ではなく知事の仕事なのです。一方、日本の医療体制は完全な二重構造になっていて、一つは国立病院や公立病院、もう一つは医師会に属する民間病院です。

今回のコロナ禍において二四時間体制で働いているのは、主として国立病院や公立病院の医師や看護士です。これ以上、病床数を増やそうと思ったら、民間病院に求めるしかない。

ところがそれを実現しようと思ったら、知事は地元の医師会と戦わなければいけない。それをやりたくないから、病床数をこれ以上増やせないことを前提にして、「とにかく感染者数を減らせ」と言う傾向があるのです。

だから各知事は、パフォーマンスを競うように緊急事態宣言を「出せ出せ」と言う。でもそうすると今度は、経済が悪くなります。経済が悪くなると誰が責任を負うのかというと、政府となる。そこで知事は、政府に「お金を出せ」と迫る。それをマスコミは「知事は偉い」ともちあげる。知事のパフォーマンスに乗せられ、「政府が後手に回っている」と論評するのです。

これは、本来なら権限と責任を一致させなければならないのに、バラバラになっていることに原因があります。政府には病床拡大を命令する権限がないのに、コロナ禍対策で経済が悪くなれば政府の責任になる。

実際、経済が悪化すれば大変なことになります。バブル崩壊後、日本経済はいっきに悪化しましたが、この時、日本の自殺者は年間一万人増えました。一方で新型コロナウイルスによる死者数は、一年数カ月で一万人強です。

わかりやすく言うと、日本では老衰やがん、心臓病なども含めて一日四〇〇〇人が亡くなっています。一方、新型コロナウイルスで亡くなった一万人強を新型コロナウイルスが発生した日数で割ると、一日二〇人になります。つまり四〇〇〇人のうちの二〇人です。一方自殺する人は一日六〇人で、新型コロナウイルスで死亡する人の三倍です。

そう考えた時、まずは医療体制を充実させて重症者と死者を増やさないようにする。一方で感染拡大はある程度やむを得ないという現実を受け入れつつ経済の悪化を防ぎ、自殺者を増やさないようにする。ここが一番重要なポイントだと思います。

国家が国民に対する強制力を持たないのは世界の非常識

デービッド・アトキンソン

私が仕事をする中でいつも思うのは、「日本は私権が非常に強い」ということです。そして民主主義に対する理解がなさすぎます。

民主主義国家と中国のような国家を比べた時、政府と市民の関係は本質的にあまり違いません。民主主義の下でも、憲法の範囲内で、市民は本来政府の方針に従うべきです。例えばイギリスでは国家の主権を持つのは議会であり、市民ではありません。議会が決めたことに対して、市民は従うしかないのです。唯一違うのは、中国と民主主義では政権が任期を終えたあと、気に入らなければ別の政権を選べることです。これが民主主義と中国の大きな違いです。

外国の国会の権限が強いという現実はさまざまなところでわかります。街並みが典型的です。歴史的建造物が多い地域は政府による指定に基づいて、所有者の権利は徹底的に制限されています。だから、綺麗《きれい》です。京都のように、毎日約三軒の京町屋が取り壊されるなんてことは欧州では論外です。国益になると決めたら、ＩＣＴ（情報通信技術）を実質強制します。道路の拡張が必要だと思えば、すぐ強行します。

では日本はどうかというと、主権こそ市民が所有していますが、間接民主主義です。間接民主主義とは「国民が選挙で選んだ代表者に一定の期間自らの権力の行使を信託し、政治を委託すること」です。言うまでもなく、国策を決めるためには、膨大なデータと分析をもって、難しい判断をしなければなりませんが、国民にはそのような時間も専門性もないからです。だとすると、総理大臣には絶大な権力があるはずです。しかし、現実は違います。これは戦争の影響もあるのでしょうが、今回のコロナ対応で表面化されたように、政府は市民に「お願いする」しかないことが大半で、市民に要請することしかできない。しかも「俺は従わない」という市民も多い。実際、その権利があっても、強制が許されないことは多いです。成田空港問題にしてもいまだに反対派の民家が空港敷地内にありますが、これをなくすことは可能です。文化庁は人の家を文化財に指定しようと思えばできるそうですが、やりません。

大半の日本人は倫理観に基づき従っていますが、イギリス人のような「首相や議会が決めたことには従うしかない」という意識とは違います。「国家が何を決めたって、自分たちは知らない」といった感じです。市民に対する強制力が国家にない。これは私が何年日本にいても理解できない点です。

マイナンバーカードについてもそうです。議会で決めた以上は政府が配り、使わない人は大変なデメリットを被るようにするのは、当たり前のことです。納税もそうで、そもそもイギリスでは払うべき税金を不適切に減らすのは犯罪です。所得を隠したりすると、未納に大変な罰金も払う。場合によっては刑務所にも。

日本はいろいろなものが曖昧で、従わないのが市民の権利みたいになっている。よくこれで国がまとまるし思います。現実には、まとまっていないのでしょうが。

しかも、最近マスコミは総理に対し、国民への丁寧な説明を求め、国民を納得させ、分科会の意見も全て開示すべきであるといいます。本来、政府の説明責任は国会において野党にすべきであり、直接国民にするとなると、野党の役割がわからなくなります。それより重要なのは、国会対応が諸外国に比べ多くの時間を使っているので、国策の実行に使える時間がかなり制限されていることです。このうえ、国民への説明責任を求められると、今まで以上に国策の実行が遅れることになりかねません。

リーダーへのフォロワーシップが曖昧な日本

竹中平蔵

まとまっていませんね。わかりやすいのが、二〇二〇年三月に新型インフルエンザ等対策特別措置法を改正した時のことです。改正によって新型コロナウイルスについても緊急事態宣言を発令できるようにしたのですが、これに対するアンケート結果は、国民の六〜七割が反対だったのです。

緊急事態宣言は、強制権限ではなく、あくまで要請です。それでも「そんなことを国に言われるのは嫌だ」と、多くの国民は答えた。そして後になって、「政府はもっと強いリーダーシップを発揮せよ」と言うようになったのです。

戦前の日本には非常に自由のない時期がありました。それが一種の悪夢になって、その反動かもしれません。とはいえ国民が選んだリーダーには、しっかりリーダーシップを発揮してもらう必要があります。と同時に、選んだ私たち国民には、フォロワーシップが求められます。まさに民主主義の基本なのに、そこも非常に曖昧になっています。それをまたマスコミがかきたてる。

私が政府内にいた時もそうでしたが、今の菅内閣もマスコミとの戦いみたいになっています。煽《あお》るマスコミと、全体に責任を負わなければならない総理大臣が、つねに戦わなければいけない状態に陥っている。残念ながらそれが、日本の民主主義の実態だと思います。

2 マスコミが作る不健全な世論

論理思考ができない日本のマスコミ

デービッド・アトキンソン

今、マスコミの話が出ましたが、私も日本のマスコミについて不思議に思うことがあります。私は元アナリストですので、データ・ファクト・論文を必ず確認します。そんな私から見ると、日本のマスコミには理屈になっていないことを言う人がたくさんいます。

イギリスのマスコミにも、理屈になっていないことを言う人はいます。でも大卒者には、少ないです。ところが日本の場合、大卒者にもたくさんいるのです。

偏見かもしれませんが、そういう発言をする人の経歴を調べてみると、たいてい文系の人です。理系の人には、あまりいません。一般に日本では、文系の人ほどありもしない話を平気で言う傾向があります。その象徴が日本のマスコミで、おそらく日本のマスコミ人の大半は文系出身ではないでしょうか。

彼らは総じて「論理思考（ロジカルシンキング）」ができていません。新型コロナウイルス対策についてもそうで、「後手後手に回っている」と批判しますが、相手はウイルスです。最初は「ファクターX」の可能性も指摘されていたし、それから感染のメカニズムを勉強すれば、感染率に対して政府の与えられる影響はかなり限られていることがわかっているはずなのに、あたかも総理の対応と感染拡大のデータに大きな因果関係があるかのような記事を書きます。なぜ「後手に回っている」という話になるのか、わかりません。

ＮＨＫや大新聞の社説すら論理的でなくなった

竹中平蔵

一つの明快な傾向として、日本の一部のマスコミと野党は、力の強いものと大きなものには何でも徹底的に反対します。そして論理を立てるのではなく、わけのわからない批判を展開することになりがちです。そしてＳＮＳが面白がってそれを拡散させます。

例えば私はよく、「竹中が経済財政政策担当大臣だった時代に、格差が拡大した」と批判されます。でも私が大臣に就任したのは二〇〇一年で、格差は九〇年代から世界的に広がっていました。しかも小泉内閣時代の日本では、所得の不平等を示すジニ係数が上昇していません。三〇〇万人の新たな雇用を作り、所得ゼロだった人が働くようになったので、むしろジニ係数は下降しました。つまり格差は拡大していません。これは経済財政白書にも明確に示されています。

もう一つ論理的でないと思うのが、二〇〇三年の労働者派遣法改正についての批判です。私が派遣法を改正したと言うのですが、派遣法改正は厚生労働大臣の仕事です。私は厚労大臣ではないので、改正などできません。

また製造業への派遣を解禁した結果、人材派遣会社であるパソナが儲《もう》けたと言われますが、これも違います。パソナは人材派遣会社ではありますが、製造業への派遣はいっさいやっていないのです。

こうしたウソを二つも四つも重ねて、それを一〇年も二〇年も言い続けている。何回説明しても、大新聞の論説委員がいまだに同じことを言っています。やはり批判するのが仕事なのです。

彼らは陰謀論も大好きです。りそなグループへの公的資金注入の際にも、私が二兆円のリベートをもらったなどと言っています。でも注入した公的資金が二兆円なのに、なぜ二兆円もリベートをもらえるのか（笑）。そもそも一兆円ももらっていたら、毎日仕事なんてしていませんよ。

以前はＮＨＫスペシャルと大新聞の社説だけは、さすがにおかしなことを言いませんでした。ところが最近はＮＨＫスペシャルまで、ワイドショーのようなエビデンス（証拠）

のないことを平気で放映するようになっています。大新聞の社説も、恥ずかしげもなく非論理的なことを書くようになっている。その意味では、知的な歯止め、いわばアンカー（船の錨）がこの社会にいなくなっていると思います。

日本人はマスコミをどこまで信用しているのか？

デービッド・アトキンソン

私も、いなくなっていると思います。ただネット時代ですから、周りの人たちに話を聞くと、ＮＨＫや大新聞の言うことをあまり信じていません。それでもおかしなことを言う人の声は大きく、影響力も強いように思います。そう考えた時、この社会がどちらを向いているのか、わからない部分がけっこうあります。マスコミにおかしな部分はかなりあると私は思いますが、一般の人はマスコミをどこまで信用しているのでしょうか。

ワイドショーでの議論がネットで拡散される時代

竹中平蔵

多くの人は、マスコミをそのまま信用してはいないと思います。なぜなら、みなテレビをあまり見ませんから。まして新聞なんてほとんど読みません。だから今マスコミの力は、以前に比べると格段に落ちています。

ただテレビにはワイドショーという分野があり、これは報道ではなくバラエティ番組です。日本ではそこにタレントが登場し、政治についてまるで専門家のように議論します。そこで話されたことが、ネットニュースに流れるのです。

今ネットニュースでは、芸能人のワイドショーでの発言が大きな記事になっています。だから人びとの関心はネットメディアのほうに向かっていますが、そのネットメディアがワイドショーの話題を拡散しているのです。

マスコミも、NHKですら視聴率を気にして、ネットメディアでの報道を採り入れて伝える悪循環が起きています。本来ならNHKはネットメディアが言わないこと、正論を言うべきです。そこはまさに知的なアンカーがいなくなったことが関係していて、新型コロナウイルスに関する報道も、ほとんどが「大変だ大変だ」「今日は感染者が何百人増えた」といった話です。

最初から「結論ありき」で語ろうとする ——デービッド・アトキンソン——

ロジカルシンキングができないのは、マスコミに限りません。先ほど島根県の感染者数が非常に少ないという話をしました。でも島根県の特殊性を考えれば、誰が知事でも同じような結果でしょう。

島根県では知事が「聖火リレーの中止を検討する」といった発言をして、一時話題になりました。その理由は、東京都と政府が新型コロナウイルス感染拡大への適切な対応をしていないというもので、あたかも「島根県は私の力で抑えています」といった口ぶりでした。でも違うでしょう。ならば新型コロナウイルスの対応ランキング六位のルワンダの大統領の功績は、島根県の知事と同じなのか。理屈にも何もなっていません。

山梨県でも知事が、自分たちが行っている飲食店への対応を「山梨モデル」として推奨していますが、やはり山梨県の特殊性を考慮していないように思います。

これは日本の「終身雇用」についても同じです。あたかも日本企業の特徴のように語られますが、終身雇用を行っているのは主に大企業だけです。その大企業で働く人は、全体の二割しかいません。残り八割の中小企業の場合は、終身雇用とはあまり関係ないのです。

中小企業の中途採用比率を見ればすぐわかります。

また最近、日本の生産性の低さが話題になっていますが、その理由を「大企業が中小企業を搾取しているから」と言う人が多いです。これも非論理的で、中小企業庁が中小企業の取引関係を調べた『中小企業白書』によると、下請け関係にある中小企業は全体の五パーセント程度です。この五パーセントでは、もしかしたら搾取が行われているかもしれません。とはいえ、わずか五パーセントで全体を説明するのは無理です。

これも、先ほど竹中先生が言われたマスコミの問題点と共通します。日本人の生産性が低い理由について、最初から「結論ありき」で語ろうとする。自分の意見を正当化するために、適当に都合のいい例を持ち出し、それを正しく検証しないまま議論を進めるのです。

都合のいいエピソードを「エビデンス」と言っているだけ ―竹中平蔵―

エビデンスに基づいて論理的に考えるのではなく、局所的なエピソードだけを引っ張って、その時に自分が言いたいことと、たまたま合致するものを切りとって使うのです。その言いたいこととは、とにかく政府批判か大企業批判。そのために都合のいいエピソードを「エビデンス」と言う。そういう論調になっていると思います。嘆かわしい限りです。

第2章

日本の経済成長に求められるもの

3 誰が経済成長を妨げているのか

世界のインフレ率の低迷と労働分配率の劇的な低下

――デービッド・アトキンソン――

ここで話題を変えて、最近の日本経済の動きと世界経済の動き、それに対する経済政策について、竹中先生と議論したいと思います。

今、世界経済は一つの流れの中にあります。一つは、世界的な低インフレ傾向です。世界経済は一九世紀になってから一九三〇年代までの一三〇年間、ほとんどインフレがなかったです。インフレになったのは、一三〇年間の中で二二回ぐらいしかありません。当時の自由経済の基本です。

そうした中、一九二九年に大変な世界恐慌が起こり、ジョン・メイナード・ケインズが出てきます。ここから、国家財政を使ってビジネスサイクルを調整するようになるのです。ケインズが『雇用・利子および貨幣の一般理論』を一九三六年に著し、以後それまでデフレ基調だった世界経済がインフレに向かっていきます。ほかにも要因はあると思いますが、ケインズの登場でインフレ時代に突入したのは確かです。

しかし、一九七〇年代になると、政府支出が多くて、インフレになっているにもかかわらず、経済が成長しない「スタグフレーション」が深刻化します。ケインズ経済学が否定されて、ケインズ経済学の時代が終わったと言われるようになりました。

その代わりに、イギリスでは一九七九年にマーガレット・サッチャー政権が誕生し、さらに八一年にアメリカでロナルド・レーガン政権が誕生します。ここから「ワシントン・コンセンサス」と呼ばれる、自由主義的な経済に戻そうとする流れが始まります。新自由主義の始まりとも言われています。

その結果イギリスのインフレは七九年がピークで、その後ずっと下がっていきます。これは世界的傾向でもあり、日本でデフレが続いているのも同じです。日本もインフレ要因が少ない国ですから世界のインフレ率が低下すると、日本はデフレになりやすくなります。

もう一つ、近年起きているのが、労働分配率の劇的な低下です。ＯＥＣＤ（経済協力開発機構）のデータを見ると、例えばフランスの労働分配率は一九世紀末、一八九七年の水準にまで戻っています。アメリカも、一九三〇年代に戻っています。

その結果、とくに日本では個人の貯蓄が劇的に下がっています。日本では七〇年代、八〇年代に個人の貯蓄比率が高すぎると、ずっと批判されていました。それが今では、アメリカより低いほどです。

また世界的な流れとして、企業は労働分配率を下げる一方で、その分だけ設備投資を増やしていないので、貯蓄を劇的に増やしています。結果として起きているのが、企業の設備投資が相対的に減ったことによる内需不足です。

そこからドナルド・トランプ政権は富裕層に対する税率を下げ、さらに企業に対する税率を下げました。これにより企業の設備投資を増やし、経済を回そうという考えでしたが、コロナ禍で成功できませんでした。

日本では、内部留保を問題にする人が多いですが、正しく評価をすると、結果としての内部留保が悪いのではなくて、内部留保がたまるメカニズム、その原因にこそ対策を打つべきです。

そこで今ジョー・バイデン政権がやろうとしているのが、インフラ投資を増やすために企業や富裕層に対する税率を増やし、一方で最低賃金を引き上げ、労働分配率をある程度もとに戻すというものです。企業が設備投資をしないなら法人税を上げて、その財源を基に国がインフラ投資をして経済を回そうというわけです。

これにより八〇年代から始まった、四〇年間の低インフレの流れが多少修正されだしているように思います。つまり、ケインズの政策から自由経済政策に転換し、またケインズの政策に戻った。実際には自由主義とケインズの政策が合致したものだと思いますが、竹中先生は専門家として、どのように思われますか。

所得が低下する中での再分配機能を考える

竹中平蔵

お話を伺っていて、とくに重要だと感じたのが、世界的に労働分配率が下がっていることです。

第二次世界大戦後の世界では、「イギリス病」という言葉があったように、政府が大きすぎることによる非効率が問題になっていました。さらに労働インセンティブが低下していて、これを是正するために、サッチャーやレーガンのような流れが出てきました。

そして次に出てきたのが、「セキュラー・スタグネーション」という考え方です。長期的（セキュラー）に、経済停滞（スタグネーション）が続く。このセキュラー・スタグネーションにどう対応するか、一つの回答をバイデン政権は試したいのだと思います。

セキュラー・スタグネーションの背景にあるのは、サンフランシスコ連邦準備銀行が約十年前に行った計測です。非常にショッキングな内容で、要するに非常に豊かな社会になってきたので、投資機会がどんどん減少しているというのです。

投資機会が減少しているのに、貯蓄はある。すると貯蓄と投資を均衡させる実質利子、つまり自然利子率を計測すると、なんとマイナスになっている。これは極めて深刻な、世界的な長期的停滞の過程に入っていく可能性を示します。それがここへ来て、現実に現れてきていると思います。

それに対抗する一つのアンチテーゼとして出てきたのが、新しいテクノロジーに支えられた第四次産業革命です。ＧＡＦＡ（グーグル、アップル、フェイスブック、アマゾン）が大きな存在感を発揮し、中国でもアリババやテンセントが出てきた。

これらの登場で、セキュラー・スタグネーション（長期停滞）とは少し違うイメージになっていますが、中期的にはおっしゃるようにデフレ圧力と重なってきています。

ただし今のコロナ禍にあって、短期的に起こっているのは逆の現象です。コロナ禍で落ち込んでいる経済を回すべく、世界中が財政政策・金融政策をフル回転させています。日本では二〇二〇年度の一般会計が一〇二兆円になったと大騒ぎになりましたが、コロナ禍を受けて安倍内閣は六〇兆円の補正予算を組みました。

さらに菅内閣も、二〇兆円の補正予算を組みました。合計八〇兆円が追加され、通常の二倍ぐらいの財政資金を使っています。さらに金融政策がそれを支えている構図です。

このような状況下で、さあ次にどうするかです。現状は労働分配率が下がり、設備投資も下がっている。普通なら労働分配率が下がる時は、民間資本が設備投資をします。それが今は設備投資でなく、R&D（研究開発）やデータベース、人的資源投資といった無形資産に投じるようになっています。今や価値を生み出す主体が、労働や有形資産から、無形資産へと変化している――ここが重要な点です。

問題は、これらが行える会社、行えない会社があることです。GAFAをはじめとする大企業は多額の資金調達を行い、積極的にこれらへの投資をしています。でも中小企業は、資金調達ができません。無形資産は、その担保価値が測り難く銀行が融資してくれないからです。とくに地方経済では、無形資産への投資など到底できません。そこから大企業と中小企業で、ものすごい差がついてきています。

だから方向として、無形資産への投資をやれるところは、しっかりやっていかなければならない。そうでないところは労働分配率、つまり所得が低下する中での再分配の機能を考えなければならないのです。

それが最低賃金の引き上げなのか、ベーシックインカム（最低限生活保障）みたいなものなのかさまざまな考え方があります、所得再分配をやりながら財政を正常化させていく。これが、これからの重要なポイントになると思います。

ただし日本の場合、富裕層に対する税率が極めて高いという問題があります。すでに五五パーセントになっていて、さらに上げるとなれば富裕層は海外に出て行くでしょう。日本の税制の特徴として、中間所得層の税率が非常に低いことがあります。中間所得層にもう少し税金を払ってもらい、それが低所得者のところに行くのが、本来あるべき所得再分配です。しかし政治的にこれは非常に難しいです。

まずは「中小企業」の企業規模を大きくする

［デービッド・アトキンソン］

私が感じるのは、私の論理と世間の論理に二つのずれがあることです。

一つは労働分配率低下の原因についてです。

世界の国全体の労働分配率の低下が、労働分配率の低い業界の雇用の増加と合致するなら、原因を技術革新に求められます。ところが現実には、ほとんど全業種で低下していま す。技術革新が起きていない業種でさえ、そうした傾向にあります。

日本はデフレのせいにしていますが、世界のデータを見ると、デフレでない国も下がっています。だから一部の人が「デフレ不況」と言うことについて、「あなたたちは海外のデータを見たことがありますか」と言いたくなります。

逆に労働分配率の低下によってインフレが下がっています。それは経済学の教科書に書かれているように、生産性が向上しても、給料が上がらない分だけ、デフレとなるからです。要するに、生産性が三パーセント上がって、給料が一パーセントしか上がらなければ、二パーセントのデフレとなります。日本がデフレになりやすくなっている最大の原因は、消費税の引き上げや緊縮財政ではないのです。その二つは諸外国にも起きているメガトレンドに悪影響を及ぼしている副因に過ぎません。

もう一つは、設備投資に関するものです。日本も含めて大企業では、おおむね継続的に設備投資が増えています。増えていないのは中小企業です。そこには、竹中先生が言われたように「中小企業は資金調達ができないから」ということも考えられますが、私は疑問を抱いています。

例えば今、資金調達ができるようになったとして、中小企業ははたして無形資産に投資するのか。無形資産が増えている国と増えていない国を比較すると、大企業が継続的に増え、大企業に働く労働者の割合が高い国ほど無形資産は増えています。

一方で大企業が少なく、中小企業に働く割合が多い国は、無形資産がさほど増えていない国が多いのです。

一般に中小企業、とくに小さい会社ほど「投資ができない」といいます。そこから「中小企業が投資できる環境を整えましょう」という国策になりやすい。じつは先日日本在住のEU二七カ国のエコノミストと議論した時も、そうした話になりました。「中小企業は投資が遅れているので、補助金を出して投資を促進させるべき」と言うのですが、「本当にそれで効果が出るのかを検証すべき」というのが私の主張です。

私が重視しているのは「規模の経済」という、最も基本的な経済原理です。例えば第二次世界大戦後のイタリアの労働生産性向上率は、八〇年代までは世界から絶賛されるほど高いものでした。ところが九〇年代に入ると、世界最低水準になります。日本も同様に、戦後は劇的に上がりましたが、九〇年代に入ると、ほぼ横ばいです。

ここでわかることは、やはり企業規模の問題です。総じて中小企業の規模が小さい、または中小企業で働く労働者の比重が高い国ほど、生産性向上率は低くなります。つまりこうした国では投資を「やらない」のではなく、「できない」のではないか。要するに、中小企業が設備投資をできないのはお金がないからではなくて、ある程度の規模がないと、設備投資するお金もなければ、専門スタッフもいなくて、場合によっては設備があっても活かしきれない場合もあるからです。お金がないだけなら対策は簡単です。しかし、お金を出しても中小企業の設備投資と生産性向上が思うように行かないことは統計分析でわかっているので、もっと根本的な問題がある可能性が示唆されていると考えています。その問題は規模の問題ではないかと思います。

とはいえ、一口に「中小企業」と言っても、規模はまちまちです。従業員数が何百人という中小企業もあれば、一〇人未満の零細企業もある。中小企業にも規模の経済が働くところと、そうでないところがあります。

そう考えると、ただ中小企業に補助金を出せばいいのではなく、さまざまある中小企業について、まずは補助金を活用できる規模にまで大きくする。それが先決だと思うのですが、この議論は非常に批判されています。竹中先生は、どう思われますか。

日本には経済全体を底上げする余地がたくさんある

竹中平蔵

まったく正論だと思います。デービッド・アトキンソンさんは孤軍奮闘しておられる感がありますが、私も含め、同じように思い、応援しているエコノミストはかなりいます。そこはぜひ自信を持っていただきたいです。

先ほどのマスコミの話にもつながりますが、日本では大きいものは叩き、小さいものは守ろうとする傾向にあります。だから弱者を守ろうとする。中小企業イコール弱者と位置づけ、「何が何でも中小企業を守れ」という議論が露骨に出るのです。

とはいえ規模の重要性については、日本は別のところで大いに認めています。それは市町村合併です。平成の大合併により、それまで三三〇〇あった市町村が、今は約一七〇〇になっています。平成の大合併は、一定の規模がないと自治体が成り立たないことを前提に、政府が補助金を出して合併させたものです。「一定の規模が必要」というのは、一方では承認されているのです。同じことを中小企業についても適用するのは、全然おかしくありません。

また日本が戦後欧米を追いかけた時代、すなわちキャッチアップ時代は、経営戦略はそれほど難しくなかったと思います。先行する企業やビジネスの真似をすれば、十分に儲かったのですから。ところが今のようなフロンティアに立っていると、経営戦略は本当に難しくなります。会社のリーダーである社長の役割が、極めて重要になります。

これに関して経営コンサルタントの冨山和彦さんが、面白いことを言っていました。「日本の中小企業が三六〇万社ある。しかし社長をできる能力がある人間が三六〇万人もいるわけがない」と。まったくそのとおりで、そのことも含めてリーダーは、とくに今みたいな難しい時代は非常に重要です。

規模がなければ、投資はできない。とくに無形資産に対する投資は、非常に難しいものがあります。有形資産に対してなら担保が取れるので、まだ銀行も融資がしやすいですが、無形資産は担保を取りにくいという問題があります。これは銀行の責任もありますが、無形資産は評価が難しい。結局、無形資産に投資できるかできないかで、どんどん差がついてくるのです。

無形資産には三種類あり、①データベースやソフトウェア、②研究開発、③「エコノミック・コンピタンシー（経済的行動特性）」と呼ばれる組織を変えるための投資と人的資本に対する投資です。この中でエコノミック・コンピタンシーは、日本では大企業も含めて進んでいません。

以上のような状況を鑑みると、例えばソニーやパナソニックのような大企業の生産性を一〇パーセント上げるのは難しいですが、中小企業の生産性を一〇パーセント上げるのは、そう難しくありません。その意味で中小企業の生産性が低い日本は、経済全体を底上げする余地がたくさんあるのです。

日本の生産性を最も高められるのは中小企業

―デービッド・アトキンソン―

日本では国民の七割が中小企業で働いています。この比率は先進国の中でかなり高い。となると、国全体の生産性を高めたければ、労働者の大半が働いている中小企業の生産性を向上させなければなりません。

中小企業を無視して生産性向上を考えるのは、物理的に不可能です。中小企業をどうするかが極めて重要な問題なのに、ほとんど聖域のように議論の対象から外されています。先日出席した政府の「成長戦略会議」で、「大企業より生産性が高い中小企業もある」という意見が出されました。確かに事実ではあります。

そもそも大企業と中小企業を個別で見れば、生産性の低い大企業よりも生産性の高い中小企業があるのは当然です。中小企業の定義を理解していれば、すぐわかることです。例えば、製造業では従業員が三〇〇人未満の企業は中小企業ですが、小売業では五一人の企業でも大企業です。製造業の生産性は小売業よりかなり高くて、この例で行くと、規模は六倍近く大きいので、製造業の中堅企業の生産性が、極めて低い小売業界の大企業より高いのは当然のことなのです。

とはいえ統計上では、そういうケースがあっても多くはないです。大企業の生産性は平均八二六万円ですが、中小企業は四二〇万円です。大企業の生産性より高い中小企業の数が増えれば増えるほど、加重平均が上がってきます。加重平均で見た時に中小企業の生産性が低い以上、これらは稀《まれ》なケースと考えなければおかしい。

私が中小企業に最も注目するのは、あまりにも日本の中小企業の生産性が低いからです。例えばドイツの中小企業の生産性は、大企業の生産性に対して六八・三パーセントです。さらに欧州全体では六六・四パーセント程度ですが、これに対し日本は、五〇・八パーセントに過ぎないのです。

五〇・八パーセントを七〇パーセントにするのは大変ですが、例えば五五パーセントにするのなら、それほど難しい話ではありません。そこをどうするかを、もっと議論すべきです。

日本にSPAC市場を作る

竹中平蔵

規模の小ささが生産性の低さに結びつくのは、農業がものすごくわかりやすい例です。

生産性が低いにもかかわらず農業に小規模事業者が多いのは、政治的には事業者が小さく分かれ、それぞれが一票を持っているほうがありがたいからです。だから農業に対して、「あれは水田ではなく票田だ」と言う人もいる。中小企業が多いのも同じ理屈でしょう。

最近の経済政策の大きな傾向として、「今はコロナ禍だから、やむを得ない」というエクスキューズがあります。確かにそういう部分もありますが、コロナ禍でなくとも日本の政策は本質的なところを避け、「当面、合意できるところを合意しましょう」という流れに向かいがちです。

従来の経済政策に対し、安倍内閣は発足当初、かなり根本的に変える用意があったと思います。金融政策を変更して大胆な金融緩和を行い、国家戦略特区も作りました。ところが森友・加計学園問題が出てきて以降、流れが変わりました。

「忖度《そんたく》」という変な言葉が出てきて、安倍首相が前面に出て大きな枠組みを作ることに、周辺の政治家や官僚が後ろ向きになってしまった。さらには、安倍首相ではなく周辺のスタッフが前面に立ち、安倍首相を守るために、改革論を積極的に議論しなくなりました。中小企業問題にしても、中小企業の下請けの条件の改善といった程度しかしませんでした。

そうした中、最近、成長戦略会議で始まった議論が、スタートアップ企業育成のためのSPAC（特別買収目的会社）の解禁です。SPACはスタートアップ企業の買収を目的に設立する会社で、上場するまでの期間が短縮できることなどから、アメリカなどで注目を集めてきました。

未開拓の市場、ブルーオーシャンに入っていけるベンチャーが日本であまり出ないのは、規制が多いからです。例えばライドシェア、自動車の相乗りは日本はいっさい認められていません。アメリカではウーバーがあり、中国ではディディがあり、シンガポールではグラブがあります。グラブは二〇二一年中にアメリカのナスダックでの上場を予定していて、今、四兆円企業と言われています。

グラブの上場も、SPACとの合併を通じて行われます。SPACは特定の事業を持たないため「空箱」とも揶揄《やゆ》されますが、SPAC市場を作ってもベンチャーが出やすくする規制改革を同時に行わなければ、本当の空箱になってしまいます。

本質的な制度改革を行い、逆におかしな中小企業保護をやめて、きちんとした競争政策のもとで、しっかりした中小企業を育てる。そうした本質的な議論に入れないのが日本の最大の問題で、それをマスコミがきちんと伝えていない問題もあります。

なお、中小企業の改革については、のちの第3章で、もう一度詳しく議論していきます。

日本で今後も設備投資が増えない二つの根源

――デービッド・アトキンソン――

日本で企業の設備投資が減っているのは確かです。個人消費で見ると、日本は一九九四年から二〇一八年までの二四年間で、一九パーセント増えています。「日本のデフレは個人消費が弱いから」と言われますが、実際は一九パーセント増えているのです。

一人ひとりで見れば減っていると思いますが、全体としては増えている。一つは貯蓄率が下がっているからで、もう一つが雇用の増加です。コロナ禍の前までは生産年齢人口が減っているにもかかわらず、就業者数は過去最高水準で、純増していました。それによって、日本の労働参加率は世界最高水準に上がっています。

高齢化により、所得が若者から高齢者に移転していることもあります。この高齢者がその社会保障のお金を使っています。だから若者の消費は減っていますが、高齢者は使っているので全体で見ると変わりません。

一方、一九九四年から二〇一九年までのGDP（国内総生産）に対する企業投資は、世界的に減少傾向にあります。ただし諸外国は継続的にGDPが増えているので、絶対額は増えています。これに対し日本ではＧＤＰに対する企業投資が減っているのに加え、総額としても純減しています。大企業の投資は増えていますが、中小企業が減っているからです。

ここで、企業投資が減っている理由を考えましょう。まず世界的には途上国よりも先進国のほうが比率が下がっています。アメリカや欧州の企業が投資を控える一つの要因として、投資の方向性が見えないことがあります。ただしこれは全体の一、二割で、たいした割合ではありません。最大の理由は、人口減少です。

言うまでもなく、企業の設備投資は無形であれ有形であれ、先を読んで行います。今八〇万台の自動車が売れていて、一〇年後に一〇〇万台売れるとなれば、先行投資で新しい生産設備を導入しようとなります。それが今は人口減少で、需要が減るのが前提になっています。

デフレかどうかは関係なく、消費者の数が減るのを見越して新しい生産設備を作らない。既存の設備も、だんだん減らしていく。また個人を見ても、家への投資が減るでしょう。世帯が減り、家の数も減るからです。これは日本で企業の設備投資が減っている理由の一つでもあります。

そうした中、どういう設備投資が残るかというと、まだ普及されていないもの、つまりはイノベーション（技術革新）にまつわるものです。他の先進国ではイノベーションが進み、そこへの投資が増えていますが、日本ではイノベーション自体が進んでいません。これが二つ目の理由で、日本特有の問題です。

進めようとしても、先ほど言われたライドシェアと同じで、既得権益に触れるから認められない。そのためイノベーションを起こそうとする人も出ないし、起こそうとしてもストップがかかる。

人口減少の中、唯一期待できる設備投資がイノベーションにまつわる設備投資なのに、イノベーションを起こさせないので設備投資が増えないのです。

また人口減少でものが売れなくなる一方、サービス業が増えるほど設備投資の比率は低くなる傾向にあります。そのサービス業の割合が日本は高い。つまりイノベーションが進まないこととサービス業が多いこと、この二つが日本で設備投資が進まない理由なのです。

これらを考えると、設備投資の今後の見通しは非常に厳しいことになります。

求められるのは無形資産への投資

竹中平蔵

だからこそここで、無形資産に対する投資を、統計上もきちんと位置づける必要があると思います。国内マーケットで売ることだけを前提にすれば、国内における設備投資は当然減ります。しかし作ったものを国外に輸出するなら、工場の設備投資は減りません。

ただし今は海外への直接投資もあります。国内で作って輸出するのは時にリスクを伴うので、人件費も安い海外に工場を移転する。これが現在は増えています。まさにグローバリゼーションをきちんと進めることが、人口減少国の最大の課題です。

だからこそグローバル教育も必要だし、そのための大学教育も必要です。海外投資も積極的にやればいい。そうすれば人口減少の中でGDPは減るかもしれませんが、その中でイノベーションをやって生産性を上げれば、一人あたりの所得は増え続けます。

アメリカを見ても、国内の設備投資が海外へどんどん移っています。しかし一方で、ものすごいイノベーションが出ているから生産性は高く、一人あたりの所得は増えています。

ではどこがイノベーションを起こしているかというと、やはりGAFAです。GAFAが出てきたのは、今までとはまったく違うことをできる人材が社内にいて、新しいことを実現するお金があって、新しいビジネスを妨げる政府の規制がなかったからです。日本もそういう形の投資を行い、人間に対する投資も増やして、イノベーションを起こすことが必要です。

このように、今の時代大きな価値を持つのが、無形資産に対する投資です。一つの規格を作れば、それを世界中で同じように作り、低コストで儲けられるようにもなる。コカコーラやペプシコーラが行った開発は、同じ味を世界中で販売するというものです。

また人的投資をすれば、一人あたりの生産性が高まり、人間の数が減ってもトータルの生産を支えます。しかも無形資産に対する投資は、本来減価することはありません。これらを考えると無形資産への投資は、今後増やしていかなければならないのです。

そのためにまず見直すべきが統計上の扱いです。二〇一六年末からR＆D（研究開発）投資のみGDP統計に反映されるようになりましたが、残りの無形投資は今でも中間投入として扱われています。だから統計上は反映されず、税の優遇もありません。

これを人的投資など他の無形資産も統計に反映させることで、投資の重要性を明確にする。また税制上のインセンティブを与えて、これを促進する。そうすれば全部ではなくても、一部の見方は変わってきます。

ところがこれまで経済産業省は、無形資産に対する投資へのインセンティブにあまり関心がなく、いまだに設備投資のみを重視する傾向があります。時代の転換期にあって、発想の転換ができていないように思います。

4 世界に遅れをとる日本の高等教育

竹中平蔵

日本の教育のどこが問題か

無形資産の一つである人的資産への投資は、教育に関わる問題でもあります。ここであらためて気になるのが日本の教育問題です。ここからは、日本の教育問題に話を移したいと思います。

日本の教育問題として、大学を出るまでは文部科学省の管轄なのに、その後の人材育成は厚生労働省という点が挙げられます。「学校教育は文部科学省」「職業訓練は厚生労働省」と完全に縦割りで、両者がシームレス（連続）になっていません。

そのため卒業後も必要に応じて教育を受ける、いわゆるリカレント教育の制度が整っていません。日本人の寿命がどんどん伸びていますから、リカレント教育についても、もっと重要視する必要があります。

こうした人材や教育の話について、デービッド・アトキンソンさんはイギリスとの比較も含めて、どのように分析しておられますか。

大学で論理思考を訓練しない日本の教育

デービッド・アトキンソン

私は日本の高校までの教育は、それほど問題があるとは思っていません。そもそも高校までの教育は、国家の経済成長率にそれほど影響がありません。

高校までの教育水準は先進国か先進国でないかで違いますが、先進国だけを見ると高校までの教育については、生産性と言われるほど相関がないことがわかっています。日本も社会全体を見れば、高校までの教育水準が低いとは思いません。

ただ先ほど竹中先生が言われたように、優秀な社長になれる人が三六〇万人もいるはずがない。そう考えた時に日本はドイツをはじめ他の国と比べて、社長になる人の学歴が低いです。

欧州の場合、ベンチャー企業を起こす人は企業時の平均年齢が三五歳です。アメリカは四〇歳です。欧州のデータで見ると、八四・九パーセントは大卒者です。その中で、学士号は一九・三パーセントですが、修士号は五三・〇パーセントで、博士号は一二・六パーセントです。教育至上主義と言われるかもしれませんが、やはり新しい時代の中でいろいろな対応策を考えられる経営者は、大卒者が圧倒的に多いです。

その大卒者について、理系の出身者は科学的思考ができるので、とくに問題はありません。科学的志向と論理的思考は、ほぼ同じです。ところが文系の出身者は、論理的思考ができない傾向が強い。ここが日本の決定的な大問題だと思います。

私は日本の大学教育を受けたことはありませんが、日本はマスコミをはじめ大卒者にもかかわらず、論理思考ができない人が多いと感じます。これを見ると、やはり大学に問題があるように思います。

じつは先日、京都にある大学の学長から「論理思考について教えてほしい」と頼まれ、驚きました。「アトキンソンさんは、いつも『論理思考』と言っていますが、イギリスではどのような講義で教えているのですか」と言うのですが、イギリスでは論理思考のための特別な講義などありません。

そもそも大学に入学してから卒業するまで、毎日が論理思考の訓練です。それ以外の教育はありません。

「大学で論理思考をどう訓練させているのですか」と尋ねると、みんな「海外はディベートの授業があるけれど、日本にはない」と答えます。これは誤解です。私もディベートの教育を受けたことはないのです。イギリスは大学の全てが論理的思考です。とくに論理思考を教える授業があったり、論理思考の単位があったりするのではありません。

初日の講義、初日の先生との対面から、すでに訓練は始まっています。「今の考え方を分解して、もう一度言ってみてください」などと指導されます。日本の大学にこうした授業がないでしょうか。世界経済フォーラムによると、日本は論理的思考ランキングは世界八七位だそうです（二〇一九年）。

日本は先進国で、世界一一位の人口大国でもあります。これまで追い風に乗って進んできましたが、逆風が吹く中、頭を使って考える必要が出てきています。それなのに今も、のほほんとしている。「労働生産性が低いのは下請けが搾取されているから」というのもその一つで、その程度の話しかできないから先に進めないのです。

日本の教育は促成栽培

竹中平蔵

私は日本で教育を受けて、日本の大学で教え、アメリカの大学でも教えました。それらを比較研究したこともありますが、本来の大学での教育が論理思考そのものというのは、おっしゃるとおりです。ところが日本の教育はかなりバイアスがかかっていて、これは中学や高校も同じです。

日本は明治維新の時に、とにかく、アヘン戦争に負けた中国と同じにならないようにと、先進国らしく見せることを急務と考えました。そこから教育も、それらしく見せるような促成栽培の制度を作った。どうしたかというと、今あるような、知識の詰め込みを始めたのです。

だから日本の中学や高校の教育は、とにかく覚えるための訓練をします。一見もっともらしく見えますが、論理的に考える訓練がまったくないのです。

例えば日本史なら、何年に鎌倉幕府ができて、何年に江戸幕府ができた。そんな内容ばかりで、「なぜ大化の改新が起きたのか」「なぜ天皇が支配していたのに、知らない間に武家の社会になったのか」といった論理的な説明をほとんど教えないのです。

象徴的に言うと、日本の中学・高校の教科書は、ものすごくページ数が少なく薄いです。私は娘が中学生の時にアメリカにいたので、娘はアメリカの中学に通いました。この時アメリカの中学校の教科書を読みましたが、本もぶ厚く大人が読んでも面白い内容でした。それは論理的に書いてあるからです。

一方で日本の教科書では、年号と事件や人名、地名などを、ただ覚えさせるだけ。そうやって中学・高校を過ごすのです。これはつまり一八歳で大学に入るまで、絶対的な正解がある問題しか解いていないことを意味します。

でも世の中には、絶対的な正解がある問題なんて、ほとんどありません。数学の世界ではあるかもしれませんが、その数学でさえ、すでに解き方を証明できている問題を解いているだけです。国語の読解に至っては、本来絶対的な正解がある問題など、ほとんどないでしょう。

だから大学に入った瞬間、文系の人はすごく戸惑うのです。「こんな勉強はしたことがない」と。経済のことを論理で考えろと言われても、どうしていいかわからない。「何を覚えたらいいか、教えてください」という発想にしかならないのです。

これは促成栽培で国を作ってきたやり方を、いまだに引きずっているからです。典型が国家公務員の上級試験です。国家公務員の上級試験は暗記試験ですから、暗記力のある人が試験に合格し、役人になります。東大法学部卒が多い訳です。しかし彼らに社会の複雑な問題など、解決することは難しいはずです。

にもかかわらず日本で教育改革に関する動きは、ほとんど見られません。過去四〇年間、教育改革を政策の前面に掲げた内閣は、中曽根康弘内閣だけです。中曽根内閣は一九八四年に臨時教育審議会を設置して教育改革に臨みましたが、それ以降、教育改革の話は多少出る程度です。

「小泉内閣の郵政民営化」「安倍内閣の憲法改正」のような形で、「教育改革」を前面に掲げた内閣は、中曽根内閣が終わった一九八七年以降ありません。その結果、今のような詰め込み型の教育が続いているのです。

なお、先進国にキャッチアップするための促成栽培型の教育のもとで結成されたのが、日本教職員組合（日教組）です。だから教育のあり方を変えるといった話に対して、彼らは必ず反対します。日教組の政治力は極めて強いですから、教育改革もなかなか前に進まないのです。

高校までは暗記で十分

デービッド・アトキンソン

暗記という点では、イギリスの教育も高校までは、ほとんど暗記に近いものです。ただ教科書はそれなりのレベルの高い学者が書いたもので、それを暗記するのです。おそらく洗脳されているような感じだと思います。

だから大学に入学した時は、衝撃でした。昨日までは教科書を丸暗記する世界だったのに、「今日から自分の頭で考えろ」となるのです。ここから暗記とは違う考え方を学んでいくことになります。

先日母校のオックスフォード大学の学長と話したのですが、この時、学長から大学で論理思考を勉強する理由を聞きました。じつは論理思考ができるようになる年齢が、大学に入る頃なのだそうです。一七、八歳にならないと、そこまで脳が発達しない。だから中学や高校で論理思考を教えようとしても、教えられない部分がけっこうあると。

イギリスはトニー・ブレア政権時代に一度、「もう少し早い時期から、論理思考を教えたほうがいいのではないか」と、暗記を減らした時代がありました。「今は検索エンジンがあるから、ファクトを暗記する意味はもうない。ならば暗記は要らないから、思考能力だけを磨いたほうがいい」と。

ただ、この政策には基礎的な根拠がなく、結果としてうまくいきませんでした。この時わかったことの一つが、個人差もありますが中学・高校の段階では論理能力を磨こうとしても、ほとんど成果が出ないことです。また、論理的思考を磨くには、一定の暗記の重要性も確認されました。だから今は、暗記の割合が以前と近いものになっています。

ただ竹中先生が言われた、「日米で教科書の質が全然違う」という話は新しい発見で、興味深いです。確かに私たちが学んだのは「クロムウェルの時代に関しては、こういう考え方もあれば、こういう考え方もある」というものでした。

暗記ではありますが、「世の中にはいろいろな考えがあって、こういう理屈がある」ということが書かれています。ただ自分の頭で考えるとなると、やはり大学に入る年齢にならないと難しいというわけです。

また私は論理思考というのは、ピアノの練習と同じだと思っています。上達するには、日々の訓練が必要です。それによって、脳の構造が変わるそうです。論理思考も大学で三年間、毎日訓練することで初めて使えるものになる。それが大学の存在意義と言われていますが、そういう発想は日本では聞いたことがありません。

日本の詰め込み教育は「本当の詰め込み教育」ではない
――竹中平蔵――

ある程度の訓練がないと論理的な議論ができないというのは、おっしゃるとおりだと思います。もう一つ日本の教育で問題なのは、一見矛盾するように聞こえるかもしれませんが、日本はそんなにヘビーな詰め込み教育ではないということです。あんなに薄い教科書を丸暗記したところで、その知識はたかが知れています。

娘のアメリカの教科書で、キリスト教の十字軍のくだりを読んだのですが、大人が読んでもわかるように論理的に書いてあります。「なぜ十字軍が起きたのか」「十字軍が東方に向かうことが、どういう作用をもたらしたか」「どういう文化がイスラム社会からヨーロッパにもたらされ、どんな経済効果が生じたか」といったことが書かれていました。

これが日本だと、「何年に十字軍の第一回遠征が始まった」と書いているだけです。「第何回遠征ではイスラム社会に負けた」とか。そこに論理があれば、詰め込むことにも意味がありますが、そうはなっていません。

イギリスの高校の経済学の教科書は大きくて重かった
――デービッド・アトキンソン――

今思い出しましたが、高校の経済学の教科書は、非常に大きく重かったです。それを全部読むのですから、詰め込みと言えば詰め込みです。「古典派がどうした」「新古典はどうだ」「ケインズはどうだ」などと詳しく書かれています。とにかく非常に分厚かったのを覚えています。

「非認知能力の高い子どもは成功する」という研究結果
――竹中平蔵――

もう一つお聞きしたいのですが、最近の教育経済学では非認知能力の重要性がよく言われます。例えばTOEFL（外国語としての英語のテスト）の点数は認知できる点数です。

これに対し非認知能力とは、その人が「正直者か」「約束を守るか」「目上の人に敬意を払うか」といった、測定できない個人の特性を表す能力です。こうした非認知能力の研究が非常に活発で、それらが養われるのは学校教育以前の段階です。むしろ家庭で養われるものです。

この非認知能力について、「マシュマロテスト」と呼ばれるスタンフォード大学の有名な研究があります。小さな子どもの前にマシュマロなどのお菓子を置き、母親が出掛けるのです。この時子どもに、「マシュマロは食べちゃダメよ。もし食べなかったら、もう一個あげるわね」と言って、何分間か席を外す。

子どもはマシュマロを食べたいけれど、もう一個もらうために我慢する。マシュマロを見ないようにするとか、歌を歌ってごまかすとか。最後まで食べずに我慢した子は追跡調査の結果、社会的に成功していたというのです。

マシュマロを食べないのは、約束を守ることでもあります。そして忍耐力を養うということでもあります。「約束を守る」といった非認知能力は、今まで日本では「おばあちゃんが教えてきた」という議論が成り立ってきました。こうした議論は、イギリスではされていますか。

学生の成長性まで判断するオックスフォード大学の面接試験

デービッド・アトキンソン

聞いたことがありません。もっとも私は、イギリスを離れてかなり長いですが……。ただ、今のお話に関わるようなエピソードはあります。

大学入試時、私はオックスフォード大学に入るに際して、暗記も求められましたが、暗記だけでは入れませんでした。入学後に指導してもらうことになる教授との面接があり、ここで教授が、この学生を教えたいか、教えたくないかを判断するのです。言わばお見合いです。

この時教授は、今まで学校で覚えたことをベースに、高校生が触れたことがないような情報を投げかけます。例えば歴史であれば、高校で一般的に教えていることに加え、大学で教えるような話を一つ二つ言う。これまで学んできた基礎を理解していれば、さらに次の一歩に行けるような内容です。

それに対する答えから、この学生が新しい情報を受け取り、今までの自分の理解をもとに新しい段階に進む能力があるかをチェックするのです。

こうすることで、脳の柔軟性を見ているとも言われます。ペーパー試験だけでは、その人の成長性まで判断できない。その足らない部分を教授が見るのです。

日本の東大の場合、自分のキャパシティのギリギリまで勉強すれば、何とか入れるかもしれません。でもオックスフォード大学の場合、精一杯勉強してスタート地点まで到達することはできたけれど、そこから先に進める見込みがない。そういう人は、この面接で外されるのです。

「マイストーリーを作れるか」を見るAO入試　竹中平蔵

私は慶應義塾大学でアドミッションズ・オフィス入試（AO入試）という大学入試の委員長を務めたことがあります。面接では大学教授が三人いて、三〇分の口頭試問をするのです。面接を受けるのは一七歳から一八歳の若者ですから、十分な知識があるとは思っていません。それでも難しい質問を投げます。

この時よくわからないことを前提にしながら、今ある知識や自分の経験に基づいて何が言えるかを見るのです。私はこれを「マイストーリーを作れるか」という課題だと思っています。

じつはこれは大人になっても必要な能力です。我々だって一〇〇パーセントの知識を持っているわけではありません。情報も一〇〇パーセントあるわけではない。つねに情報が完璧ではない中で、意思決定をしなければならない。

その時に「自分はこう思う」という説得力のあるマイストーリーを作れるかどうか。そのような能力は、すごく重要だと思うのです。だから、ちょっと意地悪な質問をすることもあります。

個性や特徴を持たない日本の大卒者

――デービッド・アトキンソン――

日本の大卒者には、あまり面白くない人が多いです。例えばオックスフォード大学やケンブリッジ大学の卒業生で、凡庸《ぼんよう》な人に出会ったことがありません。みんなそれなりに個性があり、考え方に特徴があります。日本の大卒者でそうした個性や特徴を持った人には、ほとんど出会ったことがありません。

非常に安上がりな日本の大学の授業

竹中平蔵

日本の大卒者が面白くない要因として、経済的な問題もあると思います。オックスフォード大学の授業は一対一が基本で、大教室での講義などありません。これはものすごくコストのかかる教育です。

本来、高等教育には、お金がかかります。ところが日本の高等教育は、すごく安上がりに作っています。これは日本が欧米にキャッチアップするために、一人あたりのコストを抑えることで「大学の大衆化」を図ったのです。

誰でも望めば、大学に行けるようにした。そうすることで人材を確保しようとした。その時代の制度をいまだに引きずり、非常に安い授業料と非常に安い補助金で、一つの教室に何百人も集める講義をやっている。これでは議論できる人間など、育つはずがありません。

教室で寝ている日本の大学生

デービッド・アトキンソン

私は日本の大学に行った時、教室で寝ている学生がいるのに驚きました。私が大学生だった頃は、長期の休みに入ると「一日も早く大学に戻りたい」と思ったものです。教授に会うだけでワクワクする。緊張感があり、エキサイティングなのです。「こんなに素晴らしいところがあるはずがない」と思っていました。

それが日本では、寝ている学生がいる。アメリカの大学だって、寝ている人などいません。みんな生き生きしています。

いつまでも「大衆化」ではいけない

竹中平蔵

確かにアメリカの大学の授業で、寝るなんてことはあり得ません。みんな一言も聞き逃すまいとしています。また、北京大学でも教えたことがありますが、やはり同じで、一瞬たりとも逃そうとしない。中国の大学もまだ大衆化のプロセスですから、ある程度大教室で教えますが、寝ている人なんていません。

私は地方都市の小さな商店で生まれました。そんな私でも大学に行けたのは、大学の大衆化のおかげです。そこは非常にありがたかったことですが、いつまでもそこにとどまっていては、いけないと思うのです。

イギリス人よりはるかにレベルが高い海外からの留学生

デービッド・アトキンソン

近年のオックスフォード大学やケンブリッジ大学の特徴として、学生の半分ぐらいが外国人ということが挙げられます。イギリスの大学なので、イギリス人もある程度の割合は入学が保証されています。でも保証がなくなり、実力だけで合否が決まることになれば、イギリス人は何パーセントも入れないでしょう。大半が世界から集まったエリートばかりになると思います。

実際イギリス人のレベルと海外から来る留学生のレベルは、大きく違います。イギリス人はイギリスの中ではトップですが、留学生とは比べ物にならないほど、実力が劣っていますね。

日本の大学は、学生の選び方も安上がり

竹中平蔵

確かに留学生の学力は高いです。私はアメリカ東海岸のハーバード大学やコロンビア大学しか経験していませんが、ハーバード大学でも実力だけで選べば、じつは外国人のほうが入学者が多くなります。だから一種のクォーター制（人種や国籍などをベースに、一定の比率で人数を割り当てる制度）を設けています。

そのうえでアメリカの大学のもう一つの特徴として、学生を決めるまでのプロセスがあります。ハーバード大学など優秀な大学は、各州にアドミッション・オフィス（入学事務局）を置き、職員が優秀な学生をリクルートするために、地元の高校を回ります。日本でそんなことをやっている大学は、一つもありません。日本は「今日、試験するから来い」と言って、一日だけ試験をする。それで何万円も受験料を取って、大学側の大きな財源にしています。

これも極めて安上がりな集め方です。問題も絶対的な正解のあるものばかりですから、マークシート方式などで簡単かつ安上がりに評価できます。本来、高等教育はお金がかかるものなのに、日本はその部分が著しく劣っている。このことに尽きると思います。

世界ランキングができても変わらない日本の大学

デービッド・アトキンソン

私は大学時代、教育にそんなにコストがかかっているとは知りませんでした。とはいえ私たちはコストに見合う額を、国に十二分に返済していると思います。そうやって国は国民の生産性を向上させ、国を豊かにするのです。

私の母校であるオックスフォード大学は、もとは貴族の子弟だけが通っていました。一九七〇年代前半頃まではイートン校をはじめ、特定のパブリックスクールから上がってくる学生ばかりでした。

それが教育改革によって一般に開放され、今ではアメリカと同じように、優秀な学生を獲得するため、大学側が高校を回るようになっています。一般の家庭で育った子どもから、ときに天才が出現します。そうした人たちを大学側がスカウトするのです。

「うちみたいな一般家庭から、オックスフォード大学になんて入れないでしょう」などと尻込みする人もいますが、「いえ、入れるんです」と言って熱心に勧誘する。昔なら考えられない話で、これは世界大学ランキングができてからだと思います。

ランキングでトップを獲るには、トップの人材を集めなければなりません。日本の大学でそうした取り組みをしていないなら、ランキングがどんどん落ちていくのは仕方ないことだと思います。

新しい奨学金制度で勉強しない学生が増える

竹中平蔵

教育投資の効果については、いくつかの計測があります。基本的に教育は、投資収益率が非常に高いのです。教育にコストをかければ、高いリターンが得られます。教育投資をたくさんしてリターンをたくさん得てこそ、本当の意味で豊かな社会になります。

ところが日本では、奨学金を出したのに、それを返せない人がいます。これは失敗した投資の例です。投資をしたのに、リターンがないのですから。責任が誰にあるかというと、普通に考えると（病気などの特殊な要因がない限り）勉強しなかった本人です。ただ一方で、勉強させないまま卒業させた、大学側の問題もあります。

にもかかわらず日本では、二〇二〇年から新しい奨学金制度を開始しました。世帯収入の基準を満たしていれば、大学や専門学校の授業料や入学金を免除、または減額するというものです。要は奨学金を貸し付けではなく、贈与にする。これにより救われる人もいるのでしょうが、一方で、ますます勉強しない学生が増える可能性もあるのです。そうなれば、とても残念なことですね。

5 リカレント教育の充実を図れ

これからの大学はリカレント教育の場になる

竹中平蔵

日本の大学で論理思考を学ばせるには、授業の質を高めることが重要です。オックスフォード大学のような「一対一」とまでは言いませんが、少なくとも対話型でできる環境を作る。「一対三〇〇」といった授業では、対話なんてできません。そのためのコストをかける必要があります。

とくにこれからの大学教育は、「一八歳から二二歳まで」というものではなくなります。例えば四〇歳から四三歳までなど、大人に対するリカレント（反復）教育を行う場にもなります。このリカレント教育について、ここから議論したいと思います。

リカレント教育を行ううえで、まず必要なのは教授の質を高めることです。リカレント教育を受けるのは、一度企業の課長などを務めて、新たな知識を学ぶために来るような人たちです。その場合、今の大学に、そういう人たちにきちんとした教育ができる教授が何人いるのか、という問題が出てきます。

PhD取得のために通う社会人も増えている

―デービッド・アトキンソン―

リカレント教育は、大学の運営を考えるうえでも重要です。私はよく日本の大学の学長から、少子化における大学運営についても聞かれます。日本の出生数は最盛期の昭和二四年には二七〇万人いましたが、現在は九〇万人を切っています。それなのに大学の数は一九七一年から倍増して減らないのですから、経営が厳しくなるのは当然です。

一方で昔は五〇歳で亡くなる人も珍しくなかったのに、今は一〇〇歳まで生きる時代になっています。確かに学生を「一八歳から二二歳まで」という固定観念で考えれば、大学の多くは廃校にするしかありませんが、門の外には二三歳から一〇〇歳までの人がたくさんいるのです。

しかも大学教育の賞味期限を「二〇年」と考えた時、寿命が五〇歳の時代なら一度学べば十分ですが、人生一〇〇年時代になれば話が違います。四〇歳でもう一度学び、六〇歳でさらにもう一度学び、八〇歳でさらに学ぶ。

少子高齢化が進む中、大学は若者以上に一度社会に出た人たちへの教育が主流になるでしょう。理屈上は七、八割が、リカレント教育の場になるはずです。

じつはオックスフォード大学の学長からも、そうした話を聞きました。数年前から通学している学生のうち、一八歳から二二歳までの割合が半分を切っているそうです。一一世紀以来初めて、リカレント教育の学生が半分を超えた。でも日本の大学で、半分を超えている大学はないでしょう。おそらく一、二割、いるかいないかだと思います。

そうした学生の中には進学ではなくて、一回社会人になってからPhD（博士水準の学位）の取得が目的の人が増えている。こういう人は取得するまで大学に連続して通わないことも可能だそうです。一年だけ通い、仕事に戻る。そして何年かしたら、また大学に来てPhDの研究を継続する。誰でもできるやり方ではないでしょうが、そういう人たちもいるそうです。

大学と社会の関わりが、非常に柔軟になっていることは間違いありません。じつは私自身、大学に戻ってもう一度学びたい気持ちがあります。

「八〇年前の世界を考えたことがあるか」

竹中平蔵

確かに一八歳から二二歳までだけを相手にしていたら、大学は間違いなく衰退産業です。しかしそれ以上の年代の大人を受け入れるなら、間違いなく成長産業です。

私は二〇一九年にスペインで面白い大学を紹介してもらいました。モンドラゴン大学というバスク地方にある大学で、ここのビジネス学部では入学後、すぐに自分の株式会社を作らされるのです。そこで一定の利益を上げないと卒業できません。

会社法の勉強が良い例です。例えば株式会社を作るには、三人の発起人が必要です。そして一年に一回、営業報告書を出さなければいけません。こうしたことは授業で学んだだけでは、ほとんど理解できません。そこで実際に自分で会社を立ち上げ、法務局で手続きすることで、何がどのように必要かを実地で身につけていくのです。

このモンドラゴン大学は、ＥＵで初めてアントレプレナーシップ（企業家精神）とリーダーシップの学位を認められました。そういう大学が日本にもできれば面白いと思いますが、現状ではまず考えられません。

日本人の寿命を考えれば、これからの教育は日本人一人ひとりの長い人生に対応したものでなければなりません。私は先日ある会社の入社式で挨拶《あいさつ》し、こんな話をしました。彼らはおおむね二二歳です。彼らが歳をとる頃には、平均寿命が一〇〇歳を超えているでしょう。つまり彼らは、これから八〇年生きます。「では八〇年前に、何があったか考えたことがありますか」と問いかけたのです。

二〇二一年の八〇年前といえば一九四一年。じつは、太平洋戦争が始まった年です。それから日本や世界で、どれだけのことがあったか。それと同じどころか、これからもっと多くのことがこれから君たちが死ぬまで起こる。だからつねに勉強をしなければならない。そんな話をしました。

人生が長くなるというのは、それ自体すごいことです。八〇年前と言えば、第二次世界大戦でドイツがポーランドに侵入した年です。考えられないほど遠い話です。

太平洋戦争時、日本は零戦で戦いましたが、当時の日本には無線がありませんでした。一方、アメリカには無線があった。では日本はどうやって僚機と連絡をとったか。小さな黒板を持ち、それに「行くぞ！」などと書いて隣りの飛行機に見せたのです。飛行機同士が黒板で連絡していたのが、八〇年前なのです。

学生時代の経済学と現在の経済学はまったく違う

――デービッド・アトキンソン――

八〇年前と言えば新幹線もない。遠方との最も早い連絡は電話や電報で、新聞は一字一字活字を組んでいました。私が大学で学んだのは四〇年ほど前ですが、四〇年でも経済学の世界は大きく変わりました。

私は二〇二〇年に『日本企業の勝算』という本を出すにあたり、海外のデータや論文をいろいろ調べました。日本には細かく統計的に検証されているデータが少ないからです。この時驚いたのが、私が大学時代に読んだ経済学者の論文と、現在の経済学者の論文の内容があまりに違っていたことです。

私の学生時代はビッグデータなどありませんし、統計的な回帰分析方法は種類がなくて、自分で計算していました。今はさまざまなやり方があって、コンピュータがやってくれます。

統計のやり方から何からあまりに変わっていて、私が学んだ経済学では今の論文は十分に理解できませんでした。そして、五〇歳頃からは新しい経済学を学んでいないこともあったので、結局、論文を読むため大学に頼んでテキストを送ってもらいました。そこで新たに勉強しなおしたのです。楽しかった。

学問がものすごく細分化されている

竹中平蔵

今の経済学はものすごく精緻《せいち》というか、細かくなっています。良くも悪くも内容が細分化して、その細分化された中で新しい何かを加えないと、業績として認められない。博士にもなれません。それが実際の経済に役立つかどうかは、関係ない。これが今の学問で、とくに経済学の最大の弱点です。

そもそも経済学は、世の中をよくするための共同体のあり方を探る学問です。そこから離れていることの弊害を感じます。超テクニカルな分析でないと、ＰｈＤを取れないというのも、そういうことです。

部分を組み合わせることで見えるものもある

――デービッド・アトキンソン――

確かに政治家や一般人にとって、あのような論文一つひとつは使い物になりません。しかし、いろいろな論文を組み合わせることで、見えてくるものもあります。ところが今の経済学者は、部分部分しか見ていません。でも全部を組み合わせると、素晴らしいものができるのです。

直接のエビデンスがなくても論理思考をする

――竹中平蔵――

おっしゃるとおりで、今の議論は非常に重要です。エビデンスベースで考えることは、とても大事です。ところが、それぞれの物事の答えに関して、直接的なエビデンスが存在するものは、じつは意外に少ないのです。コロナ禍における対応を考えるにしても、答えに直接つながるエビデンスはあまり存在しません。

郵政民営化もそうです。郵政民営化の結果、どうなるかについての直接的なエビデンスは存在していなかった。それでもいくつかの傍証を組み合わせ、論理思考をすることで予測するしかない。それができないとダメなのです。ワイルドゲス（ヤマ勘的な推測）ではなく、リーズナブル（根拠ある推測）の世界です。

「エビデンスベースだから、自分はエビデンスのないものは議論しない」というのも、おかしな態度です。一部の経済学者に、現実に見られる態度です。それでは実際の政策を作ることはできません。かといって何の役にも立ちそうにないのに、勝手な思いつきで政策を議論するのも問題です。一部のワイドショーのコメンテーターのような場合がそれに当たります。その両方が対峙《たいじ》しているのが、今の日本です。

エビデンスは正解ではなく、いい仮説を作るためのもの

――デービッド・アトキンソン――

日本は、エビデンスを軽視しすぎているように思います。トップに求められる決断は、正解がないに決まっています。私がゴールドマン・サックスにいた時もそうで、部下たちが持ってくる相談は、すべて正解がないものです。正解があり、自分たちで解決できるものならば、全部自分たちで解決しています。自分たちで解決できないから、上司のもとに

相談しにくるのです。

この時まず私がやるのは、今あるエビデンスを全部出して、失敗しそうなものは排除するというものです。すでに検証されているものも排除する。そうして選択肢を狭めていく中で、どうすべきかが明確になってくるのです。トップほど、そのような思考をしているはずです。おそらく首相も同じだと思います。

ところが今の日本では、エビデンスを検証しないまま議論するケースが多いです。かといってエビデンスを持ち出して、「これが正解です」と言われても、それほど単純な話ではありません。

そうした中、霞が関が「エビデンス・ベースト・ポリシー・メイキング（証拠に基づく政策立案）」などと言うようになってきたのは前進です。政府に求められるのは、データにないこと、すなわちデータに挑戦することです。今までのデータを全部検証し、エビデンスを全部揃えたうえで、ある仮説を作る。その政策を実行することによって、経済が変わって、データの流れが変化する。その仮説を実行した時に、仮説どおりに物事が進むかを最新のデータなどで見ながら調整する。その意味でエビデンスは、いい仮説を作るためのものであり、事前の正解はありません。

第3章

改革は中途半端でなく、徹底的に

6 郵政民営化は失敗だったか

構造改革は、なぜ中途半端に終わったのか

デービッド・アトキンソン

竹中先生は小泉内閣のもと、さまざまな改革に携わってこられました。そこで次に伺いたいのが、改革についてのお考えです。改革を進めるにあたって思うようにいかなかった点、もしくは反省している点、予想外だった点などはありましたか。

また竹中先生が改革を進めたにもかかわらず、日本の一人あたり生産性はあまり向上していません。規制緩和をはじめ、さまざまな改革をしながらも中途半端に終わってしまったのは、なぜか。そのあたり、いかがお考えですか。

生産性が上がらないのは、改革が不十分だから

竹中平蔵

私は小泉内閣の金融担当大臣や経済財政政策担当大臣などを務め、さまざまな構造改革に取り組んできましたが、その中で予想外だったことは、じつはあまりありません。「これは難しいけれど、総理大臣のサポートがあればできるだろう」と思ったことは、おおむね実現できました。一方で、「これは実現しにくいだろう」と思ったことは、やはり難しかったです。

ただ反省なり、残念に思うところは、いくつかあります。一つは郵政民営化が進んでいく過程で民主党政権に代わり、郵政民営化の動きが止まってしまったことです。それまで日本郵政の社長は三井住友銀行のバンカーだった西川善文氏で、西川社長のもと、いろいろな改革を進めてきました。ところが民主党政権は、政権交代したとたんに株式の売却を止めてしまいました。つまり株式の民間放出を止めたのです。

本当なら二〇〇七年に民営化して、二〇一七年にはゆうちょ銀行やかんぽ生命保険の株式は全部売却を終えるはずでした。ところが今でもまだ、半分残っています。これは途中で売却を止める動きが起きたからです。「必ずしも全額売らなくてもいい」という法律に

改悪したのです。

最もひどかったのは、西川社長の退任後です。財務省と総務省出身の官僚の天下り先にしてしまったのです。二代続けて天下りの官僚が社長になりました。

民営化とは、民間の経営に任せることです。株主を民間にすることで民のガバナンスを効かせ、さらに民間の経営者がいなければならない。ところが社長が民間出身でなく、株主もごく一部しか民間が保有していない。中途半端なままでいるから、さまざまな不祥事も起こるのです。

二〇一九年には、かんぽ生命保険による保険不正販売が発覚しました。虚偽の説明で契約を取りつけたり、顧客の意向に沿わない契約を無理やり交わした。なぜあのようなことが起きたか、理由は簡単です。

現在のような低金利の時代に、郵政省時代の商品の名残を持つ貯蓄型の保険は、誰も買いません。ところが完全民営化していないので、自由な商品開発が認められていないのです。まだ国がサポートしている状態なのに自由に商品開発できたら、民業圧迫になります。だから開発が制限されている。そのため古い商品を売らざるを得ず、無理な営業をすることになったのです。

「郵政民営化したから不祥事が起きた」と言う人がいますが、全く逆です。完全に民営化して民間の保険会社になっていたら、このような問題は起きません。実際民間の保険会社はちゃんとやっているのです。完全に民営化していないから、起きたのです。まさに中途半端な改革に止まっている弊害のわかりやすい例と言えるでしょう。

もう一つうまく行かなかった事例として、「規制のサンドボックス（砂場）」というのがあります。これは企業が新しい技術を活用したサービスを始めるにあたり、現行法の規制を一時停止して実証実験するための制度です。イギリスやシンガポールではすでに実施されていて、私もシンガポールに視察に行きました。

安倍内閣時代に私が提言して二〇一八年に実現しましたが、期待外れに終わりました。規制のサンドボックスは本来、首相直轄でなければなりません。そうでなければ、いろいろな規制改革はできません。ところがちょうどその時、森友・加計問題が起きたのです。森友・加計問題が起きたあとは、首相周辺が安倍首相を前面に出さないようにしてしまったのです。そのため規制のサンドボックスは経済産業省の管轄となり、今も首相が関わっていません。

首相が決定する仕組みになっておらず、これで規制改革はできません。結局のところ改革が十分進んでいないから、生産性が上がらないのです。

そして他の規制改革に関しては、予想外というより、残念ながら予想どおり進んでいません。規制改革でわかりやすい例は、ライドシェアです。基本的な考え方としては、目的地に向かう人を一緒に同乗させるサービスですが、日本ではいっさい認められていません。

一方、先に述べたように、アメリカにはウーバーがあり、中国にはディディ、シンガポールにはグラブ、インドネシアにはゴジェックがある。シンガポールのグラブはアメリカのナスダックに上場予定で、時価総額は四兆円と言われています。

このような最も成長が期待される産業に日本ではストップがかけられているのですから、マクロの生産性が上がるはずがありません。

規制緩和の一方で新たな規制も設けたイギリスのビッグバン
―デービッド・アトキンソン―

よく「改革を進めたからダメになった」と言う人がいます。でも、私は逆の考えです。中途半端に改革を進めると、たいてい逆効果になります。徹底的に「やる」か「やらない」かのどちらかにすべきです。

イギリスの場合、規制を改革しながら再規制もしています。一九八六年にイギリスで行ったロンドン証券取引所の金融改革、ビッグバンはその最たる例です。

ビッグバンでは、ロンドン証券取引所における売買手数料の自由化、銀行資本の市場参加、株式取引税の引き下げなど、徹底的に規制改革をしました。とくにビジネスのダイナミズムに悪影響するような規制を取り除いていった。一方で新たな規制を設け、規制改革を悪用できないような制度も作ったのです。

「民営化は失敗」と言うのは既得権益を守りたい人

竹中平蔵

そのとおりです。小泉内閣時代に不良債権を処理できたのも、銀行に対する新たな規制やルールを設けたからです。それまでは不良債権処理に関して、十分な規制やルールがありませんでした。規制やルールを設けたから、不良債権処理ができたのです。だから緩和だけでなく適正な強化もしたうえで、規制改革をしなければならない。それが基本中の基本です。

もう一つ、郵政の例がわかりやすいですが、政府が完全に行う場合は、それなりに政府のガバナンスが働きます。法律で命令できるので、あまり効率的ではありませんが、いちおうガバナンスがある。また民間の場合は、株主による民間のガバナンスがあります。

それが今のような中途半端な状態では、政府のガバナンスも民のガバナンスも働かない。

そういう状況に置かれているわけです。

また官営事業は非常に大きな既得権益が存在する世界だから、既得権益を守りたい人は必ず「民営化は失敗だった」と言います。郵政の既得権益には何があったかというと、例えば「配達の際に一方通行の道路を逆走すること」です。

民営化以前の郵便物の集配は、公務員が行っていました。公務員による公的な仕事ということで、集配の際に一方通行の道路での逆走が認められていたのです。そんな特権がありました。

なかでも最大の既得権益は、特定郵便局制度です。これは明治時代、国家の近代化の過程で生まれたものです。先ほど教育の話で、日本は慌てて促成栽培のような近代化を行ったと言いましたが、郵便制度も同じです。

全国に郵便局を作るため、村長など地方の名士に「郵便局の局舎を出してください」「局舎として家を一軒使わせてください」と頼んだのです。その見返りとして、その人を郵便局長にした。

局舎となった家は、郵便局の本局が借り上げます。その家賃は市場価格よりも三割程度高くして、しかも郵便局長には給料も払った。だから郵便局長になると、多額の収入が得られました。

しかも郵便局長が亡くなると、次の郵便局長にはその子どもが就きます。つまり世襲の公務員で、言わば貴族と同じです。また親が亡くなると郵便局の局舎の所有者は子どもに移りますが、これについては相続税がかかりませんでした。

大変な特権ですが、ほとんど知られていません。郵政民営化にあたって相続税がかかるようにしましたが、既得権益側から当然ブーイングが来ます。そこで政治の妥協として、今の代の郵便局長が亡くなっても、その子どもの代には相続税がかからず、次の代からかかる制度にしたのです。

7 中小企業の生産性はもっと上げられる

竹中平蔵

中小企業改革の意図とは

さて私からも、デービッド・アトキンソンさんに伺いたいことがあります。先に少し議論した、中小企業改革についてです。

デービッド・アトキンソンさんはかねてより中小企業改革の必要性を提言されています。最終的な改革提言として、「最低賃金の引き上げにより、いい意味での淘汰《とうた》を進める」というものがありました。ほかに「中小企業の定義を変えるべき」ともおっしゃっています。これらについて解説いただけますか。

中小企業の定義は「五〇〇人未満」にすべき

―デービッド・アトキンソン―

日本の生産性は低く、ＩＭＦ（国際通貨基金）が発表しているデータをもとにした二〇一九年のランキングは、世界で二八位です。これは大手先進国としては最低水準です。

ここで言う生産性は、日本のＧＤＰを人口で割った「一人あたりＧＤＰ」を指します。日本は人材に対する評価が高いのに、一人あたりＧＤＰが著しく低い。これは非常に矛盾しています。

インフラにしても、他の先進国とそれほど違いません。例えば日本人の教育水準は、アメリカや欧州と比べて生産性ほどの違いはありません。交通や電気といった社会インフラ、あるいは安全を比べても、アメリカや欧州とそこまで違わない。ではなぜ生産性だけ、これほど違うのか。

最近、私は経済学の基本中の基本に戻ることが多いのですが、生産性は人的資源をどのように配分するかで決まります。例えば三〇〇〇人の労働者を三社に一〇〇〇人ずつ分けるのか、一〇〇〇社に三人ずつ分けるのか。どちらにするかによって、生産性は倍ぐらい違ってきます。もちろん前者のほうが、生産性が格段に上がります。生産性を上げるには、合併などは一つの手段です。

私がよく言われる批判に、「今ある一〇〇〇社を九〇〇社にしたら、そのぶん失業者が増える」というものがあります。でもそうではなく、減らすのは会社の数だけです。三〇〇〇人はそのままで、一〇〇〇社に分けていたものを九〇〇社で分けるのです。

これはアダム・スミスの時代からずっと言われている「分業」の話で、人が増えると専門性が上がるからです。誰にでもわかる話です。そこから日本の生産性が低い理由として、規模の経済があまり働いていないことが一つの仮説として考えられます。企業の数が多く、そこに少しずつ労働者が配分されている。従業員の少ない企業が多いから、生産性が低いのです。

例えばアメリカでは、労働者の五四パーセントが大企業で働いています。これに対し日本では二割前後しか、大企業で働いていません。「二割前後」と数字が曖昧なのは、正確な数字がわかっていないからです。日本では労働者がどの規模の企業で、何人働いているのか、そのことを示す正確なデータもないのです。

もう一つよく言われる話として、「製造業は生産性が高く、サービス業の生産性は低い。日本はサービス業が多いから、生産性が低い」というものがあります。ところがアメリカは逆で、サービス業の生産性は、製造業よりも高いです。ＥＵは日本に近く、どちらかというとサービス業の生産性は低いです。

ただし同規模の企業を比べると、製造業とサービス業の生産性は、どの国もそれほど違いません。つまり日本やＥＵでサービス業の生産性が低いのは、製造業よりも規模が小さいからです。規模の小さいサービス業の企業が多く、その結果、全体の生産性も低くなっているのです。

人的能力やインフラへの評価が高いのに生産性が低いのは、労働者の企業規模別配分に問題があるからです。その原因が今述べたように、中小企業が多いためと考えられる。だから生産性を上げるには、中小企業の数を減らした労働者を少しずつ集約する必要があるのです。

とくに日本の中小企業の特殊性として、中小企業の定義が業種により異なることがあります。小売業の場合、五〇人を超えると、とたんに大企業扱いになります。サービス業は一〇〇人を超えた時、製造業は三〇〇人を超えると大企業になります。

生産性は、従業員の数と大きく関係しています。生産性が一番低いのが小売業で、次にサービス業、一番大きいのが製造業となるのは、まさにこの五〇人、一〇〇人、三〇〇人と合致しています。

中小企業には、さまざまな税制上の優遇策があります。しかも中小企業でいる限り、永遠に優遇が続きます。これでは大企業になろうとするインセンティブは働きません。その一方で、生産性向上に必要なＩＣＴ（情報通信技術）や無形投資などは、一定の規模がなければ導入が難しいところがあります。

そう考えたとき、この五〇人以下、一〇〇人以下、三〇〇人以下を中小企業とする規定は問題です。海外を見ると中小企業の定義は、アメリカは五〇〇人未満、ドイツも五〇〇人未満で、ＥＵ全体は二五〇人未満です。中国は二〇〇人以上二〇〇〇人以下です。日本もアメリカやドイツに倣い、五〇〇人未満にする必要があります。

例えば従業員数が四五〇人でも、中小企業として優遇を受けられるなら、今のような五〇人、一〇〇人、三〇〇人の規模ではなく、五〇〇人近い従業員数の小売業、サービス業、製造業が増えることになるでしょう。今よりも規模の大きい中小企業が増え、中小企業の生産性向上につながります。

最低賃金を引き上げるだけで生産性は高まる

デービッド・アトキンソン

また、なぜ最低賃金の引き上げが重要かについても、経済学の基本に戻ればわかります。近年増えてきた非正規雇用によって、企業は安くてよい人材を気軽に採用できるようになりました。それが労働者派遣法のせいなのかはわかりませんが、事実としてそうなっています。

安くてよい人材に、必要な時だけ来てもらう。プラスの面として、もっと自由な働き方を求めて、女性、高齢者、学生の労働参加率が上がります。雇用が増えます。しかしマイナス面もあります。

これは企業に対し、規模のメリットを追わなくていい、設備投資をしなくてもいい、人材投資をしなくてもいい、というインセンティブを与えていることになります。つまり、生産性の低迷につながっています。

日本と生産性傾向がよく似たイタリアを見ると、たまたま同じタイミングで一九八〇年代から労働市場の規制改革を行っています。

その結果何が起きたかというと、生産性の高い分野の労働生産性は、かなり上がったものの、同時に人件費の安い産業における雇用も増えました。また、売上高に対する人件費の割合が高い「労働集約型産業」の資本深化が後退して、生産性向上にかなりの悪影響を及ぼしています。これが格差拡大にもつながっているのです。

これは人材への投資が減ったことを意味します。規制改革により全体の雇用は拡大しましたが、いつでも容易に雇用できることから、企業が人材に投資するインセンティブも失ったのです。実際、研修などが減っています。

非正規雇用の場合、必要がなくなれば、いつでもクビを切ることができます。いずれいなくなる社員に対し、企業は積極的に教育をしようとしません。むしろ教育投資を抑えるようになります。

教育や研修が減れば、働く人のスキルは向上しにくくなり、全体的に生産性の低迷につながります。こうした会社では生産性向上が大きく抑えられ、その後、成長しなくなります。

経営者としては、面倒くさい技術革新をするよりも、非正規社員を雇い、「あなたは三日働いてくれればいい」「あなたは明日から来なくていい」などとやっていたほうが楽です。経営者として利己的に考えたとすれば、人を安く適当に使える非正規雇用はありがたいのかもしれません。しかし、社会全体を考えれば、雇用への影響のバランスを取りながら人を安く調達することはやめるべきです。

生産性を向上するには、先ほど述べた中小企業の定義の変更、さらには規制改革、既得権益の撤廃によってイノベーションを起こさなければなりません。同時に、人を安く使える状況を変える。その点、イタリアの実態が参考になります。イタリアは最低賃金制度がないため、人件費の低下を調整する制度がない。したがって、労働市場の規制緩和が大きなマイナスとなっています。

各国はその問題を解決するために、企業が人を安く調達できないよう、労働市場の規制緩和と同時に最低賃金引き上げを行って来ました。生産性と最低賃金は、表裏一体です。最低賃金をギリギリに設定してビジネスモデルを構築している企業は、これが上がると、賃金を払うために生産性を向上させるしかありません。このように最低賃金引き上げには生産性向上が欠かせず、生産性に好影響を与えることは間違いありません。最低賃金は、ある意味で、最低生産性の基準となるのです。

もちろん段階的にやることも大事で、最低賃金を徐々に引き上げながら、生産性のハードルを少しずつ上げていく。両者をセットにすることが重要です。

最低賃金は厚労省でなく、経産省の管轄にする

竹中平蔵

非常にすっきりする説明をいただきました。いくつか重要な指摘がありました。私がずっと以前から思っているのは、通常の経済政策で重要なのは高度な経済学ではなく、経済学の基礎の部分ということです。基礎を大事にした政策は成功するし、基礎に反した政策は必ずどこかで行き詰まります。

また日本で興味深い言葉に「大企業志向」があります。就職する時によく使われる言葉で、やはりみんな「規模の経済性」を直感しているのです。

実際問題として、日本の労働環境は「二重構造」と言われています。総じて大企業は生産性が高く賃金も高いのに、中小企業は生産性が低く賃金も安い。

ここで重要なのは、生産性と賃金はイコールということです。経済学の基礎で教える賃金とは、労働の限界生産力で決まります。生産性向上と最低賃金の引き上げがコインの両面であるというのは、極めて正論だと思います。

もう一つ賃金について言うと、この間まで日本はデフレでした。だから賃金が安いと言っても、実質賃金はそれほど下がっていません。そこが最低賃金の引き上げを邪魔してい

た一つの要因だと思います。

経済学で生産要素の選択はどのように決まるかというと、相対価格で決まります。その観点からも、安い賃金を放置するのは問題です。放置されると当然、生産性を引き上げるインセンティブが低くなります。これが現実に起こっていることは間違いありません。

これはかつてシンガポールが取った政策でもあります。まだ金融業が発達する以前の話で、賃金の上昇により、従来型産業の国際競争力がなくなってきたのです。この場合、普通は賃金を下げて産業を守ります。ところがシンガポールは、むしろ賃金を上げたのです。そうすることで産業構造を早く転換しようとした。そして金融業のほうに向かうのです。

これは経済政策として非常に理に適っています。デービッド・アトキンソンさんが言われているのも、同じだと思います。

また以前から日本でおかしいと思っているのが、最低賃金を厚生労働省が「社会保障制度」として管轄していることです。これは「最低限の生活を保障する」という発想です。「最低限の生活を保障する」という厚労省の発想と、「生産性を向上させる」という経済産業省的な発想は、なかなか合致しにくいものがあります。

私も最低賃金の引き上げには賛成ですが、これを厚労省の社会保障制度として実施するのは、政策体系として少し無理があります。どうせなら「生産性向上法」といった法律を作り、生産性向上の概念を最低賃金の中に入れていく。それも含めての最低賃金引き上げなら大賛成です。

現実問題として日本の最低賃金は国際的に見て低く、社会保障の観点からも、もっと上げるべきです。それを菅内閣はたぶんわかっていて、少しずつ上げているのだと思います。シンガポールのように、経済政策と割り切って賃金をいっきに上げるのは、今の状況ではまだ世の中の理解不足だと思います。

もう一つ最低賃金に関連して議論すべきなのが、外国人労働者の問題です。日本で賃金が安く、生産性が低い業態や企業が温存されている理由の一つに、「技能実習生制度」があります。技能実習、つまり「研修」の名目で実質的にすごく安い賃金で外国人労働者を雇用している。そんな農業従事者や中小企業は少なくありません。

このようなまやかしは、やめるべきです。日本は今後、少子高齢化社会で、絶対的に人が足らなくなるので、外国人労働者を活用することには賛成です。とはいえ安い技能実習生のような形で入れるのは、問題です。外国人労働者をきちんとした労働力として、適切な賃金で雇う。これを同時に行っていく必要があります。

決め方が不透明すぎる最低賃金

デービッド・アトキンソン

ご指摘のように最低賃金引き上げがなかなか進まないのは、労働市場をある程度、規制緩和した結果と言えます。その緩和が経営者にとって賃金を抑え、労働分配率を下げる方向につながっている。まさに「モノプソニー」の問題です。

モノプソニーは、日本語で「買い手独占」という意味です。経済学では、「一人の買い手が供給者に対して独占的な支配力を持つこと」と定義されています。

一九九三年のジョーン・ロビンソン教授の論文でよく知られるようになりましたが、最近は「新モノプソニー論」と呼ばれる新しい定義もされています。「雇用側が労働者に対して相対的に強い交渉力を行使し、割安で労働力を調達することができる」というものです。モノプソニーによって、生産性が低迷する、女性活躍が進まない、格差が拡大する、輸出が減る、中小企業に働く割合が高まる、賃金が上がらない、などの悪影響が出ます。今の日本はまさにそうなっています。

モノプソニーの力を制限するにはイギリスのように、最低賃金を経済政策にすべきです。イギリスでは経営者、労働者、学識経験者の三者からなる低賃金委員会を作り、その答申に基づいて最低賃金法を一九九八年に制定しました。今、竹中先生が言われたように経産省が生産性向上のための政策を進める一方、賃金は厚労省が決めるというのは、考え方として古く、問題があります。

先日の成長戦略会議で日本商工会議所の三村明夫会頭が、「最低賃金は経済政策として絶対に使ってはいけない」といった発言をしましたが、これはポジショントークです。商工会議所はあくまでも一部の中小企業の経営者の利益を代弁する組織です。中小企業に働く労働者を代表しているわけでもなければ、日本経済全体を代表している立場でもありません。経済政策は生産性向上と最低賃金を一緒にすることで、極めて効果を発揮します。人口減少時代では明らかに、賃金政策はますます経済政策の中心となります。

ところが今は「賃金は厚労省、生産性は経産省」となっていて、さらに「補助金は経産省、失業保険は厚労省」となっている。これだと経営者は、二つの縦割りを悪用することもできます。

しかも今は、世界的に労働分配率が下がっています。三村会頭は生産性を上げたあとに最低賃金を上げるべきと言っていますが、現実には生産性が上がっているのに労働分配率は下がり続けているのです。たとえ生産性が上がっても、企業は賃金に反映させていません。だからこそ、国が動くしかないのです。

労働分配率を高めることは、消費を増やすことにもつながります。アメリカのように人口が増えている国なら、労働分配率を下げても個人消費の総額は増えますが、日本の人口は今後どんどん減少します。個人消費を支えるには労働分配率を下げてはいけません。その意味でも最低賃金の引き上げは極めて重要です。

もう一つ最低賃金について問題を感じるのが、金額の決め方です。最低賃金はまず厚労省が目安となる金額を決めて、その後、都道府県ごとに決める流れになっています。厚労省は省内に設置した分科会の中で決めていますが、完全非公開でブラックボックスになっています。

しかも参加者のほとんどが社会保障を研究する社会学者で、経済学者はいません。彼らが何をベースに最低賃金を決めているかもわからず、一説には、家賃相場をもとに決めているとも聞きます。

また都道府県ごとの最低賃金を見ると、生産性、とりわけ最低賃金で働く人が多い中小企業の生産性との相関が弱く、何が基準なのかよくわかりません。科学的根拠やエビデンスがなく、隣りの県に「おたくは何円上げるんですか」と聞いて、何となく決めているようにも感じます。先進国として、そんないいかげんな決め方はやめるべきです。

加えて、竹中先生が言われた外国人労働者を「研修」の名目で、安い賃金で使うという問題もあります。政府は「外国人労働者を受け入れる」と言っていますが、実際にパイプを作っているのはベトナムやフィリピン、インドネシアなど、ほとんどが〝途上国中の途上国〟といった国ばかりです。研修生の交渉力は極めて弱いので、これもまたモノプソニーを強めて、全体の労働分配率を下げる圧力になっています。

三村さんの反対は、立場上、合理的で経済政策や生産性などに詳しい専門家に賃金交渉へ関わって欲しくないからです。労働分配率や経済学に詳しくない厚生労働省に管轄してもらったほうが日本商工会議所としては有利です。だからこそ三村さんは最低賃金を経済政策にするべきではないと反対しているのです。痛い所を突かれて反対しているからこそ、最低賃金を経済政策にする合理性があるのです。

まずは二重の最低賃金を設けてもいい

竹中平蔵

今、「各都道府県の最低賃金を決めているのが社会学者で、社会保障として決まっている」というご指摘がありました。この最低賃金が経済政策としてきちんと組み込まれなければ、日本は次のステップに行けない。これは今回の対談で、重要なポイントの一つだと思います。

現状を変えるため、まずは二重の最低賃金を示すやり方もあります。厚労省で決める一方、経産省ないしはその外郭団体が、経済政策の観点から最低賃金を示す。厚労省は、経済政策として決めた最低賃金にできるだけ近づけるようにする、といった具合です。

金利も一時、二重の金利規制がありました。貸金業法及び出資法が定める上限金利と、利息制限法が定める上限金利があり、その間はグレーゾーンと呼ばれました。そういうやり方も、一つの改善方法としてあるように思います。

「これ以上の最低賃金引き上げは無理」はまやかし

——デービッド・アトキンソン——

イギリスは、まさにそうです。実際の最低賃金である「ミニマム・ウェイジ」があると同時に、労働者が最低限の生活を営むのに必要な賃金水準を示す「リビング・ウェイジ」があります。

さらに年齢によっても、最低賃金が違います。五段階があります。二五歳以上と二一歳以上、あるいは二〇歳以下などで最低時給が異なり、これにより若者の雇用に悪影響が出ないようにしています。

しかもいずれの金額も、すべて経済政策として科学的根拠に基づいて出されたものです。決めるのは統計分析学者と経済学者で、社会学者の意見も多少入っています。

また最低賃金に関して、日本商工会議所や三村会頭はよく「小規模事業者の労働分配率はすでに八〇パーセントだから、これ以上の最低賃金引き上げは無理」と言います。でもこの「八〇パーセント」という数字は、怪しいものがあります。

労働分配率には役員報酬が入っています。私は、労働分配率に役員報酬を入れることに問題を感じなくもないのですが、問題は日本の小規模事業者では役員報酬が、人件費の三八・二パーセントを占めていることです。大企業の平均はたった二一・八パーセントです。従業員だけの労働分配率で計算をすると、大企業の労働分配率の五二・五パーセントに比べて、小規模事業者の労働分配率は八〇パーセントどころか、五一・五パーセントです。ほとんど変わらない。

小規模事業者の場合、税制のインセンティブが働くので、労働者に賃金を払ったら、残りを自分たちの役員報酬として分配するところが少なくありません。だから七〇パーセント弱の日本企業は赤字なのです。

労働分配率が高いのは当たり前で、最低賃金を上げれば、さらに労働分配率が高くなって、失業や倒産・廃業が続出するというのは、少なくとも小規模事業者についてはまやかしです。計算すると、従業員の給料を五パーセント引き上げるために、役員報酬を七パーセントだけ減らせば、失業・倒産・廃業が増えることなく、捻出《ねんしゅつ》できるのです。このトリックに日本商工会議所などは、気づいていないのか、それとも印象操作をしているのか、わかりませんが。

政治的に難しいのが賃金問題　竹中平蔵

小規模事業者の話はご指摘のとおりで、だから資本と経営を分離していない会社の場合、役員報酬を「企業利潤」と見なすこともできます。そうなると実際の労働分配率はもっと低いことになり、労働分配率はまだまだ上げる余地があるということですね。

またイギリスのようにリビング・ウェイジとミニマム・ウェイジを分ける発想は、日本でも政策の中で議論されていいと思います。リビング・ウェイジは従来の日本型最低賃金で、最低限の生活保障をする。ただしウェイジ（賃金）の問題は政治的に難しいので、壁はかなり厚いと思います。

第4章

日本に欠けている「競争戦略」の視点

8 「中小企業を守れ」のどこが間違いか

ルール適用が猶予され過ぎている中小企業経営者

――デービッド・アトキンソン――

今、最低賃金引き上げができない理由として非正規雇用の問題があるという話が出ました。ここで非正規雇用の問題について、もう少し掘り下げて議論したいと思います。非正規雇用は、経営者、中でも中小企業経営者による規制緩和の悪用の典型的なケースです。例えば昨日まで正規雇用だった人を突然、非正規雇用にする。非正規雇用にすれば、相対的にクビを切りやすくなるし、雇用保険なども企業側は払わずにすみます。

しかも非正規雇用と正規雇用の給料を比べると、本来なら契約期間が短いことや社会保障費を払わない分、非正規雇用のほうが高くなるはずです。でも実際は低い。これも経営者が制度を悪用しているからです。

また、中小企業の業界では、ルールと関係なく、クビを切ることが多いです。それは本来、正当な理由がなければ、労働基準法で禁止されていることです。だから大企業ではできませんが、中小企業では平然と行われています。中小企業には労働基準法が、ほとんど適用されないからです。

二〇一三年に解雇ルールの規制改革の話が出た時は、中小企業三団体（日本商工会議所、全国商工会連合会、全国中小企業団体中央会）の反対によって潰《つぶ》されました。これまでは非正規雇用者に「明日から来なくていい」と言えば即解雇でき、解雇の補償も払わなくてよかった。それが規制改革によって諸外国と同様、何カ月分かの給料を払わなければいけなくなる。それに対して、中小企業は猛反対したのです。大企業ほどクビを切ることが難しくない、解雇後の補償も払っていないという証拠です。

多くの経営者は非正規雇用の恩恵を、このまま被りたいと思っています。解雇ルールの規制改革に反対で、とくに中小企業の経営者の意志は強固です。

解雇問題を金銭で解決するルール作りを

竹中平蔵

雇用問題は、制度がものすごく不平等です。これを変えていくには規制改革しかありません。例えば解雇問題については、やはり金銭で解決する仕組みを作る必要があります。

今の日本には、解雇する対価として金銭を支払う際のルールがありません。金銭解雇のルールがないのは、ＯＥＣＤの中では日本と韓国だけです。既存の労働組合という、ものすごく強い特権階級が存在し、彼らがルールを作らせない。そういう不均衡の中にあります。

結局の問題はインセンティブ

デービッド・アトキンソン

ただ一概に、中小企業の経営者だけが悪いとは言えないのも確かです。経営者の仕事は、今あるシステムをどう使って利潤を出すかが重要です。

非正規雇用を悪用できる、穴だらけのシステムを作った人が悪いのか、そのシステムを使う人が悪いのかと言うと、やはり設計ミスをした人に問題があるでしょう。労働基準法が中小企業に適用されないなら、適用されないことを利用して何が悪いのかと。

倫理的には問題かもしれませんが、実際に法律を悪用しても、違法でない限りは問題ないという考え方もあります。

もともとの趣旨とまったく違う方向に使われたからといって、それが許されるのであれば、必ずしも悪いとは思いません。外国人労働者も同じで、日本人よりも安い賃金で外国人を雇った結果、低い生産性でやっていける。それの何が悪いのかと。

結局はインセンティブがどうなっているかで、そこに焦点を当てて考えることも重要です。

赤字企業ほどメリットがあるのが補助金

竹中平蔵

中小企業について、もう一つ考えなければならないのが補助金の問題です。国から中小企業に支給される補助金は、非常に大きなものがあります。最低賃金を引き上げても、その分を補助金で補うことになれば、企業の負担は相殺され、生産性向上のインセンティブは働きません。

ただ中小企業に対する補助金は、何十年も政策を研究している私にも、よくわからない部分がたくさんあります。しかも地方には地方交付税交付金という制度があり、地方交付税交付金から自治体が地方の企業に補助金として支給している場合もあります。これは一種の移転支出ですが、その移転がどれぐらいの額なのか、よくわかりません。

さらに新規産業育成に関する補助金も日本はかなり使っています。少し古い話ですが日本経済研究センターの研究によると、政府が新規産業育成や補助のために使っている金額は、アメリカ政府が使っている金額と、ほぼ同額でした。これは、国全体のＧＤＰの規模の差を考えれば、実質三、四倍使っていた計算になります。

ここで使っているお金は、減税によるものではなく補助金です。減税だと儲かっている企業にはメリットがあっても、儲かっていない企業にはありません。一方補助金だと、どちらも同じで、むしろ赤字企業のほうにメリットがあります。要は弱者救済で、それが政治的な票田になる。そんなメカニズムが、かなり強く働いていると思います。

だから補助金を明確にする。そしてデービッド・アトキンソンさんが言われるように、中小企業の定義を明確に変えていく。これをセットで行う。さらにリビング・ウェイジ、つまり実質的な最低賃金の引き上げを経済政策として行っていく。これでかなり大きく変化すると思います。

補助金を与えるべきは国策に沿った企業の行動

|デービッド・アトキンソン|

経済政策の基礎として考えれば、どういう企業にどこまでの補助金を出し、どのようなインセンティブをもたらすかについて考え直すべきだと思います。

今の日本政府がやっているのは、簡単にいえば、「どんなに新技術に適応していない合理性のない会社でも、小売業ならば、従業員数を五〇人以内に、サービス業ならば一〇〇人以内に収めている限り、永遠にお金を出します。成長しないほうが得します」というものです。人口減少時代に、こんな制度ではダメです。

これからの時代には、規模に基づく支援ではなく、行動に基づく支援が必要です。例えば国策で決めたＩＣＴ（情報通信技術）投資をやる企業については、補助金を支給する。そうすることで国策の方向に誘導するのです。なお、こうした国策で重要なことは期間限定であるということです。つまり、新しい技術の普及を目指すのが目的なので、期限付きにすることは大事なのです。

そもそも国策が示す方向に企業を誘導するためのインセンティブを与えたいなら、中小企業だろうと大企業だろうと関係ありません。規模より行動が大事です。

本当は規模と関係なく、「あなた方は企業として、こういう行動を取ってください」と言えばいい。なぜ規模によって分けるのか、まったくわかりません。

なぜインセンティブの「期限付き」を政治家が好むのか――竹中平蔵

おっしゃるように、今の制度は従業員数を増やしたり、生産性を上げることに対してディスインセンティブを与えています。政府が求める方向に進まないためのインセンティブになっています。また投資やＩＴ化といった「行動」に対してではなく、「企業」という主体に対してインヤンティブを与えています。

これらを変えていくことは重要ですが、インセンティブを期限付きにすべきかどうかは難しいところです。じつは「期限付き」という概念は、政治家と役人が非常に好むのです。なぜなら期限が来たら、それを延長するとか別の制度を作るといった話になり、そこに裁量つまり政治家や官僚の影響力が働くからです。だから最終的には、恒久的な制度にする必要があるのです。

制度の変更には、政治家や官僚の裁量が大きく関わってきます。減税にしても日本の減税は、法人税率そのものを抑えるのではなく、特例的に償却限度額を大きくする特別償却という形が好まれてきました。そのあたりは政治の問題が、少し絡んでくると思います。

M&Aを促進する税制改正

デービッド・アトキンソン

インセンティブが、企業の方向を左右することは間違いありません。これまで中小企業へのインセンティブが、生産性向上につながらない話をしてきましたが、一方で、いい流れも生まれています。M&A（企業の合併・買収）の促進です。

近年、中小企業の後継者不足が問題になっています。経営者が高齢化して引退したいけれど後継者がいない。これまでの日本ではこの時、「第三者に売却する」という選択肢は好意的なものとして見られませんでした。「会社を手放す」という行為に、かなりマイナスのイメージがあったからです。売却をするコストも高く、あまりメリットはなかったと言われます。

これに対し政府では今、中小企業のM&Aについて税制上の優遇措置を受けられる仕組みを検討中です。これは政府の方向転換でもあり、これまでの「小さければ小さいほどいい」というやり方の弊害に気づいているのだと思います。M&Aを増やすことで、企業規模を大きくしやすい選択肢を用意するというわけです。

もちろん、規模を大きくすれば、生産性を高めやすくなりますが、自動的に生産性が上がるわけではありません。とはいえ、生産性向上をしやすくする仕組みができることをとりあえず評価したいと思います。

日本の労働市場をどう見るか

竹中平蔵

中小企業の話と絡んで、もう一つ考えたいのが日本の労働市場です。すでに出たように日本の中小企業の働き方は、労働基準法がきちんと適用されていないところにも問題があります。

一方で、日本人の価値観として大企業の「終身雇用・年功序列」的な仕組みが、非常にクローズアップされています。日本の労働市場について、デービッド・アトキンソンさんはどのように見ていますか。

「終身雇用・年功序列」は日本だけではない

デービッド・アトキンソン

日本の労働市場については、あまり懸念していません。「終身雇用・年功序列」は、海外でも大企業は同じような傾向があります。例えば私がいたゴールドマン・サックスは、中途採用が大嫌いでした。採用するのは大卒者がほとんどで、その人たちが中途退社するのは止めませんが、中途採用はやりたがりませんでした。

賃金についても、よく「海外は成果主義」と言われますが、ゴールドマン・サックスは必ずしもそうではありません。ゴールドマン・サックスは金融業ですから、金融の動向に応じて成績も変動します。

例えば私が銀行担当で、銀行株が大きく値上がりしている時は、私の成績も非常によくなりやすいです。逆に銀行業全体が不調な時は、どんなに素晴らしい銀行の分析をしても成績は悪化します。

では、それらに綺麗に比例して私の給料も乱高下しているかというと、そんなことはありません。「なだらかな右肩上がり」といった感じです。

もしも業績連動で、一気に給料を上げたとしたら、いつかその人の業績が落ちたとしても、そこからはそう簡単に下げられないものです。だから逆に、一気に給料を上げることはしないのです。「終身雇用・年功序列」という言葉は日本のものですが、海外の企業がまったく違うかというと、マニュアル化されてはいませんが、実態は似たところもたくさんあります。

そう考えると、よく言われる日本企業の特殊性は、当たっている部分もありますが、さほど的を射ていない部分もかなりあると思います。どちらかといえば、海外の制度に詳しくないから存在する俗説が多いと感じます。

倒産以外は解雇が難しい日本

竹中平蔵

日本にしても「終身雇用・年功序列」が当てはまるのは、大企業に勤める二割弱程度です。日本の中小企業は、まったくそうではありません。外資系企業も違うでしょう。ただ日本の場合、解雇規制の問題が大きいのは確かで、そこは海外と決定的に違います。

日本には一九七九年の東京高等裁判所が出した判例があり、「整理解雇の四要件」を満たさないと解雇できません。四要件とは「人員整理の必要性」「解雇回避努力義務の履行」「被解雇者選定の合理性」「手続の妥当性」です。すべてを満たすのは非常に困難で、要は会社が潰れる以外、ほとんど解雇できません。

ゴールドマン・サックスもそうだと思いますが、例えばリーマンショックの時にはかなりリストラを行いました。多くの日本企業では、それができません。

日本のほうがリストラが簡単な部分もある

デービッド・アトキンソン

ゴールドマン・サックスでは二回リストラをしましたが、日本のオフィスでは諸外国に比べてやりやすかったです。意外かもしれませんが、日本の法律に従ってやれば、じつは日本のほうが諸外国に比べてやりやすいのです。

もちろん日本の法律下でのリストラの難しい面もありますが、同様に諸外国にもそれぞれ、解雇にあたって難しい事情があります。例えばアメリカでは、リストラにあたって誰を選ぶかは、年齢、人種や性的志向なども考慮しなければなりません。

白人が何パーセント、黒人が何パーセント、男性が何パーセント、女性が何パーセント、レズビアンやゲイは何パーセント、シングルマザーは何パーセントといった具合で、厳密に決めねばならないのです。

一見、簡単に思えるかもしれませんが、例えば三人リストラするうちの一人が黒人だった場合です。これは全体の三分の一が黒人ということになりますが、黒人はそのオフィス全体の一割しかいなかったとします。すると「黒人が過剰にリストラされた」ということで、訴えられるのです。

すべての条件を満たそうとすれば、リストラは本当に難しくなります。欧州でも国によって、さまざまな制約があります。海外は海外で独自のマトリクスに縛られていて、ものすごく難しい。まさにＡＩが欲しいぐらいです（笑）。

日本は確かに「解雇の四要件」を満たさなければなりませんが、それさえクリアすれば、ある意味、簡単に切れるのです。

同一労働同一賃金の徹底も重要

竹中平蔵

解雇にあたって、日本にアメリカのような面倒がないことは確かです。ただ日本の場合、訴訟リスクを恐れるのです。中小企業と外資系企業はほとんど免責されますが、一般的に言って大企業は訴訟されたら負けます。あるいは社会の評価が落ちる。

それもあって日本の企業は、リーマンショックの時も、ほとんどリストラできませんでした。結果的に長期雇用になっているのが日本の大企業で、これを解決するためにあるのが定年制です。

定年制は年齢による差別です。何歳以上は働けないと、露骨な年齢差別を行っています。

こんな国は世界でも数少ないと思います。ただし定年制があることで初めて、日本の企業は堂々と首を切れるのです。

定年になるまでは訴訟リスクが高いから切れない。そして定年で一定数の人が毎年辞めるので、今度は新卒一斉採用ということにもなります。それが非常に硬直的な組織を生み出しているのです。

この点からも、やはり解雇のルールをきちんと作り、加えて「同一労働同一賃金」を徹底させる。中小企業についても、大企業と制度的な差がないようにしなければなりません。さもなくば、労働の流動化は起こりません。

気に入らない人を窓際に追いやる日本の中小企業

――デービッド・アトキンソン――

私は言われるほど、日本で大企業と中小企業に明確な差があるとは思いません。「解雇の四要件」による訴訟リスクがあるといっても、実際に訴訟されるケースは稀です。一方アメリカは解雇するたびに訴訟になります。そういう会社は「レイシストの会社」などとレッテルを貼られますが、経営者はもう慣れています。

その意味で日本の会社は、リスクゼロでやりたいのでしょう。あるいは解雇しないための言い訳も半分ある気がします。

ただ統一されたルールがないというのは、おっしゃるとおりです。会社や会社の規模によって全然違います。解雇にしても、大企業は非常に難しいけれど、中小企業は実質的に相対的に簡単にできます。

実際、私の業界で体験したのが、「違法行為がある」と監督官庁に訴えに行った時です。「何人いる会社ですか」と聞かれ、「このぐらいです」と答えると、「中小企業は大変ですからね」と相手にしないのです。

監督者であるにもかかわらず、対応してくれない。「そんなのは、もういい」という感じです。これが大企業なら喜んで取り上げてくれます。

また日本の法律では、社長が気に入らない人に挨拶しないだけで、ハラスメントになります。ところが中小企業では気に入らない人を窓際に追いやり、誰も相手にしないといったことが行われています。

当然居づらくなり、しかも給料も毎年減らされていく。とてもひどい話で、本来こんなことはできないはずですが、平気で多くの企業がやっています。これも金銭解雇のルールがないことが関係していると思います。

郵便はがき

料金受取人払郵便

牛込局承認

9410

差出有効期間
2021年10月31
日まで
切手はいりません

162-8790

東京都新宿区矢来町114番地
神楽坂高橋ビル5F

株式会社ビジネス社

愛読者係 行

ご住所 〒 TEL:　　(　　)　　FAX:　　(　　)		
フリガナ お名前	年齢	性別 男・女
ご職業	メールアドレスまたはFAX メールまたはFAXによる新刊案内をご希望の方は、ご記入下さい。	
お買い上げ日・書店名 年　月　日　　市区町村　　書店		

ご購読ありがとうございました。今後の出版企画の参考に
致したいと存じますので、ぜひご意見をお聞かせください。

書籍名

お買い求めの動機

1　書店で見て　2　新聞広告（紙名　　　　　　　　）

3　書評・新刊紹介（掲載紙名　　　　　　　　）

4　知人・同僚のすすめ　5　上司、先生のすすめ　6　その他

本書の装幀（カバー），デザインなどに関するご感想

1　洒落ていた　2　めだっていた　3　タイトルがよい

4　まあまあ　5　よくない　6　その他(　　　　　　　　)

本書の定価についてご意見をお聞かせください

1　高い　2　安い　3　手ごろ　4　その他(　　　　　　　　)

本書についてご意見をお聞かせください

どんな出版をご希望ですか（著者、テーマなど）

大企業と中小企業で差別のない制度作り

竹中平蔵

デービッド・アトキンソンさんはゴールドマン・サックスというアメリカの大手金融機関と日本の中小企業、いずれも経験している極めて特異な存在です。いずれにせよ少なくとも日本は、金銭解雇のルールを作らないとダメです。雇用問題でもめたら、最後は金銭で解決するしかありません。

現在は大企業、とくに製造業で組合が強いところには多額のお金が出ます。一方、中小企業は泣き寝入りで、金額は二桁《けた》、三桁違います。そこは本当に多様な働き方、多様な雇い方をしないと、経済は柔軟になりません。

できるだけ自由な働き方、雇い方を認める。そして、それぞれの働き方、雇い方の中で差別がない制度を作り、運用する。そのあたりが未整備なのが、とくに今の第四次産業革命という新しい流れに日本企業がなかなか対応できていない要因だと思います。

9 日本のコーポレート・ガバナンスの問題点

日本のコーポレート・ガバナンスをどう見るか

竹中平蔵

もう一つ私が危惧《きぐ》している問題が、コーポレート・ガバナンス（企業統治）です。日本企業で新陳代謝が進まない理由として、今お話しした労働市場の硬直化に加え、コーポレート・ガバナンスの問題があると思います。

日本の企業がコーポレート・ガバナンスの制度を少し強化すると、株価が上がります。コーポレート・ガバナンスの原則や指針となる、「コーポレート・ガバナンスコード」を策定した時（二〇一五年）、現実に株価は上がりました。デービッド・アトキンソンさんからすると、日本のコーポレート・ガバナンスは、どのように見えますか。

効果が限定的な日本のコーポレート・ガバナンス論議

――デービッド・アトキンソン――

コーポレート・ガバナンスコードを作ると株価が上がるというのは、外国人投資家が投資しやすいからでしょう。日本企業のコーポレート・ガバナンスについては、よく上場企業に関するテーマとして取り上げられます。上場企業をガバナンスするための原則や指針は、ないよりもあったほうがいいですから。

ただ日本の上場企業は一万社もありません。せいぜい四、五〇〇〇社でしょう。九九・七パーセントの日本企業はオーナー企業です。オーナー企業にこのガバナンスコードはまったく適用されません。取締役も、ほとんど身内取締役です。

繰り返しになりますが、アメリカでは大企業が五四パーセントの労働者を雇っているので、上場企業のコーポレート・ガバナンスは非常に重要な問題です。しかし大企業の労働者が二割前後しかいない日本では、大事な論点ではありつつも、八割は対象外です。

経済全体で大きな役割を果たすかと言うと、それよりも「金銭解雇をどうするか」「労働市場のルールをどのように変えるか」のほうが、よほど意味があります。

私にとって日本の上場企業は日本を代表する存在というより、日本企業の中のマイノリティです。アメリカならばマジョリティですが、日本では「マイノリティの話をしてどうするのか」としか思いません。答えになっていないかもしれませんが、私は、そこはあまり期待していません。

弟分みたいな人だけを取締役にする日本の社長

竹中平蔵

ただマイノリティといっても、そこに二割の労働者がいることは確かです。それだけの存在であるにもかかわらず、ROE（自己資本利益率）が低く、ROA（総資産利益率）も低い。そこが問題だと思うのです。

日本の株式会社には、つい最近までプロフェッショナルな経営者がいませんでした。ほとんど生え抜きで上がってきた人が社長になって、自分の弟分みたいな人ばかりを取締役にしていました。

その結果、社長が何か失敗をしても、それを止める人がいません。さらに言えば、その人が会長や名誉会長になった時にも、まだ禍根が残ります。これはバブルの時に大いに実感したのですが、ものすごく間違った投資をたくさんした場合でも、「あの名誉会長がいるうちは、どれも止められない」といった話になるのです。それで新しい展開に移るのが、どんどん遅れてしまう。そんなケースがたくさんありました。

今は社外取締役を最低二名入れることが、努力義務としてコーポレート・ガバナンスコードに入っています。とはいえ、それもあくまで一種のガイドラインに過ぎません。「コンプライ（遵守）・オア・エクスプレイン（説明）」ということで、理由を説明するなら二名いなくてもいい。ただ説明するのが面倒なので、二名入れているだけです。

では今、社外取締役をどのような人が務めているかというと、役人の天下りの延長みたいになっているケースも少なくありません。もちろん、きちんと機能している企業もありますが極めて稀です。

社外取締役を〝仕事〟にする人もいる

デービッド・アトキンソン

昔は「顧問」だったものが、「社外取締役」という名前に変わったのですね。また、「社外取締役が仕事」のような人も、けっこういます。いくつもの企業で社外取締役を掛け持ちしている人たちです。社外取締役の顔ぶれが、同じような企業も多いです。

形式的な社外取締役も問題

竹中平蔵

とくに今は女性が少ないので、女性の弁護士や公認会計士に多いですね。また社外取締役には本来、独自の予算を持たせる必要があります。私は社外取締役の最も重要な仕事の一つは、次の経営者を決める、つまりサクセッション（継承）に責任を持つことだと思っています。そのためにはリサーチが必要で、リサーチするには事務スタッフも必要になります。

現実には、社外取締役をバックアップする予算も事務局もないなど、形式的なものにとどまっています。中小企業の話が最も重要というのは、おっしゃるとおりだと思いますが、大企業ですら生産性が上がらない仕組みがたくさんある。そこに問題があると思うのです。日本商工会議所の三村会頭も、自ら話していました。「中小企業だけでなく、大企業の生産性も低い」と。海外に比べると、ＲＯＥはやはり低いですから。

必要なのはガバナンスではなく競争戦略

デービッド・アトキンソン

生産性については、日本の大企業は中小企業の一・九七倍あります。しかも、日本の大企業は、欧州の大企業の生産性と変わりませんが、日本の中小企業の生産性は欧州の生産性の七六パーセントしかないです。また社外取締役については、例えばゴールドマン・サックスで言うと、それほど大きく貢献していたわけではありません。「ないよりは、あったほうがいい」程度だと思います。

長年日本を見ていて感じるのは、日本は海外の表面的なところを見て、それを真似して期待することが多いということです。私に言わせれば、明治時代と同じです。学校を作り、みんなに制服を着せたら、世界と同じようになると思う。ワルツを踊れば、いきなり西洋人のようになれるかというと、そんなことはありません。表面的なところを見るだけでは意味がありません。

ではなぜ社外取締役制度があるのか。なぜ海外の企業のほうが、生産性が高いのか。

結局は、きちんとした競争戦略があるからです。競争戦略があれば、名誉会長の問題なんて出てきません。名誉会長の面子なんて、立てている暇がない。いつやられるのか、会社が潰れるか、わからないのですから。

社外取締役に期待する役目についても、せいぜい「ないよりまし」という程度です。次の社長を誰にするかという時、「他社にやられないためには、誰がベストですか」と考えるだけですから。

自分の子分みたいな人を社長にするのは、「他社にやられる」という前提がないからでしょう。のほほんとしているから、そういう選択肢になるのだと思います。既得権益があり、必要なルールがない中で、何となく曖昧に生きていく。万が一、何かあった時は、官僚に文句を言えばすんでしまう。昔の護送船団方式と同じです。

本来は競争して生産性を高めるべきなのに、それを言うとバッシングされてしまう。そんな状態が、今も続いているように思います。競争戦略に対する原動力がないまま、「社外取締役をどうするか」「ガバナンスをどうするか」などと言っても、何かが大きく変わるとは思いません。

育成機関と監督機関を分離する

竹中平蔵

競争戦略の重要性は、おっしゃるとおりです。ここで競争戦略について、もう少し深めたいと思います。競争戦略の重要性については、私もずっと言い続けてきましたが、政府の委員会ではなかなか採り入れられませんでした。

それが今回いろいろな条件が重なり、成長戦略会議の中に競争政策のワーキンググループを作ることができました。これは一つの進歩だと思います。

じつは日本の競争政策を考えるにあたり、構造的な政策上の問題があります。典型が、最近起きた総務省の接待問題です。私も小泉内閣で総務大臣を務めましたが、総務省は電波の枠組みについて許認可を与える組織です。その一方、それがうまくいっているかを監視する規制監督の役割もあります。

アメリカではこの二つは分かれていて、放送では連邦通信委員会という規制委員会があります。金融もＳＥＣ（証券取引委員会）という、金融監督のための組織があります。これらと同じように育成する組織と監督する組織は、普通は分離させます。これで初めて本当の競争政策ができると思います。そういう仕組みを採り入れる必要があります。

また公正な取引を促す機関である公正取引委員会が、霞が関で非常に弱い立場にあるという問題もあります。公正取引委員会にはエンフォースメント（執行）とアドボカシー（擁護・代弁）という、二つの機能があります。エンフォースメントは、例えば「それは独禁法に反するからやってはいけない」などと、消費者保護の観点から独占を取り締まるものです。これは今までも、それなりにやってきました。

一方アドボカシーは、正しい市場競争を確保するためのあり方を述べる機能です。公正取引委員会の中に研究所があり、そこで書かれたワーキングペーパーを見ましたが、かなり先進的な内容です。とてもいい内容なのですが、現実にはペーパーを出すだけで、いっこうに実行しません。じつは実行する制度がないのです。

私は小泉内閣時代に競争政策を強化しようと、競争政策の専門家で慶應義塾大学法学部の田村次朗教授に関与してもらったことがあります。この時は人員が一気に二割ぐらい増えたのですが、小泉内閣が終わって以降はほとんど増えていません。

やはり人員の強化が重要で、とくに今、金融やデジタルの世界では取引がすごく複雑になっています。外部から専門人材を公正取引委員会に入れて、きちんと対応できるように体制を強化する。日本の役人は典型的な終身雇用・年功序列なので難しいことは確かですが、これを行なうことが第一歩だと思います。

では具体的に、どのような競争政策を取るべきか。例えば総務省については、許認可と規制監督を分ける。とくにプラットフォーマーやデジタルなものについては、個人情報保護も絡むので、競争政策が非常に難しいものになっています。まずは許認可と規制監督に分け、そこから進めていくことが大事だと思います。

アメリカで既存企業が伸びている理由

デービッド・アトキンソン

競争政策を考えるにあたり誤解されがちなことの一つに、「新興企業＝成長企業」という考え方があります。また「新興企業が既存企業を凌駕《りょうが》する」といったこともいわれます。間違った「弱肉強食の世界観」で非難されるのです。

先日も内閣府が「日本のダイナミズムで新しい企業を作る」という話をしていましたが、現実には新興企業の九五パーセントは伸びません。GAFAにしても、GAFAが誕生するまでに何百社も誕生しては消えていきました。

象徴的な存在として、GAFAが素晴らしいことは確かです。アメリカという三億三〇〇〇万人がいる中で、果たした役割は大きいですが、あくまで特殊事例です。

いずれにせよ、全体の経済成長率を高めるには、たんに新興企業が増えればいいという話ではなく、「既存企業をどうするか」ということこそが非常に重要です。アメリカの既存企業を見ると、多くは売り上げも、生産性も従業員数も伸びています。しかも伸びている既存企業の比率が、ものすごく高い。つまり、アメリカ経済の原動力は新旧が入れ替わっているのではなく、既存企業が成長しているのです。

これはそれぞれの企業の競争戦略の結果であり、弱肉強食の話ではありません。淘汰がアメリカの経済成長を高めているということは事実ではないし、アメリカ経済が弱肉強食というのもただのイメージに過ぎません。競争の厳しさがもたらしたのは、淘汰ではなく、各社の内部規律による成長で、それについて調査したＯＥＣＤ（経済協力開発機構）の論文もあります。

そもそも大企業の順位は、頻繁に変わっているわけではありません。ゴールドマン・サックスもそうで、一二五年間、ほとんど順位は変わっていません。トップの顔ぶれも、ほとんど同じです。イギリスの銀行にしても、「ビッグ４」と呼ばれるＨＳＢＣ、バークレイズ、ロイズ・バンキング・グループ、ロイヤル・バンク・オブ・スコットランドは、つねに上位四位を占めています。

これは競争戦略に基づき、いずれも規律よく、経営がよい方向に進んでいるからです。最低賃金にしても公正取引委員会にしても、そうです。

そう考えた時、コーポレート・ガバナンスよりもコーポレート・ディシプリン（規律）やコーポレート・マネジメント（管理）のほうが重要だと思います。日本の場合、名誉会長が経営に影響を与えること自体、規律がゼロです。適当に自分の子分を社長にするというのは、規律が低いと言わざるを得ません。しかも規制改革に乗じて労働分配率を徹底的に下げるなど、制度を悪用しています。

マーケットの役割は、やはり規律よく、合理的な資源配分をすることで、それが市場主義です。そこに合わないものは、淘汰されるかもしれませんが、それは稀なケースです。ただし「淘汰がたくさん起これればいい」というのはまた別の話で、それは目的ではありません。

規律を高める制度作り

竹中平蔵

おっしゃるとおりで、重要なのは規律を高めることであり、コーポレート・ガバナンスの制度作りは、そのための中間目標だと思います。マクロで見るとスタートアップ企業の比率は、日本はアメリカの半分です。ビジネス・クロージング（退出）の比率も、日本はアメリカの半分ですが、これらを高めるのを目標にするのではなく、まさにいろいろな制度改革をやることによって、結果的にこれらが高まってくるのだと思います。

また規律の問題については、やはり外からの多様性も入れていく必要があります。みずほ銀行でかつて、こんなことがありました。反社会勢力とのつきあいがあり、それをみんなわかっていたけれど、口に出すと雰囲気が悪くなるので誰も声をあげなかった。規律が欠けていたわけです。

そこへ外部の人が入ってきて、「これでいいんですか?」と一言言ったらいいんです。日本では「KY」、つまり空気が読めないと言いますが、空気を読めない人が入ってくることによって、規律が保たれることもあるわけです。

その意味では規律は、すごく大事だと思います。とはいえ「規律を高めろ!」と言っても自動的に高まるわけではないので、何か制度を入れないといけない。そのためにはやはり高等技能教育を強化して、アドボカシーを強める。例えば公正取引委員会に強い勧告権を持たせるといった仕組みです。また、許認可と規制監督の部署を分けられるところは分ける。

これが政策提言の一つとして考えられますが、デービッド・アトキンソンさんは、ほかに考えられることがありますか。

競争力をつけようとする会社ほど、周囲にあれこれ言われる

——デービッド・アトキンソン——

霞が関への発注法を変えることです。一般的に霞が関は、予算を取ることと、予算を消

化することまでは真剣ですが、その成果物、とくに経済に対して貢献しているかどうかは案外追求していないことが非常に多いのです。

本来は、政府発注の制度を工夫することによって、経済の誘導ができます。しかし、霞が関は、業者に丸投げして、成果に対してまったく責任感がありません。例えば、文化財修理にしても、修理する職人に求める国家資格がないのです。実績も問われません。ある意味、誰でもできる仕組みになっていて、成果物に責任を担保する入札のルールもない。だから私はこの一〇年間、「親方にこれだけの実績がないと入札に参加できない」など、ルールの導入を求めてきました。

ルールがないため、ほとんど実績のない会社が落札したこともあります。発注側は「まさか、そんな会社が落札するとは思わなかった」と言うのですが、それでも落札した以上、その会社に納品させないわけにはいきません。納品しなければ、自分たちの入札管理責任を問われてしまいます。

さらに問題は、その会社は修理を繰り返し失敗しても、以後も入札から排除されないことです。こうした仕組みを変えなければいけません。

同じことは、私が今取り組んでいる観光にも言えます。つい先日の話ですが、英語で案内用のパンフレットを作ることになったのです。この時、霞が関は大手広告代理店に「英語にしてください」と言って丸投げしました。できたものは「これは何語？」と言いたくなるほど、意味不明の文章でした。文法的な間違いも多く、「その表現はない」というものばかりです。スペルミスすらありました。

どの会社に丸投げしたのかを尋ねても、「いや、ちゃんとやっています」としか答えない。でも文章になっていないのだから、ちゃんとやっているはずがありません。しかも納品されたものを評価しているのかと尋ねると、「評価していません」と。これでは受注側も、いい仕事をする気になりません。まったく規律が働いていないのです。

評価の必要性は文化財修理にも言えます。私が文化庁に提言しているのは、作業後二年経ったところで点検するというものです。この時、とんでもなく低レベルの仕事だったとわかったら、その会社にペナルティが必要です。最初の一回は警告ですませるにしても、二回目からは仕事をさせない。

ところがそんな提言をすると、「それはかわいそうでしょう」となるのです。でも税金を使っている以上、きちんとしたものを納めてもらう必要があります。

規律が働いていないのは新型コロナウイルス対策もそうです。医者に対して国は医師免許を与えたのだから、感染者を引き受けてもらうべきです。引き受けない医者や病院には、それに対するペナルティを与える。

そうした仕組みが何もなく、むしろ引き受けないほうが得をする。きちんと仕事をしている人ほど、周囲からあれこれ言われる。これも私は体験しています。

私の会社では文化財修理をしたあと、自主的に二年ごとの点検を行っています。この時に何か問題を見つけたら、会社の責任のものに関して、無償で直しています。そのことについて、文句を言われたのです。

「小西美術は大きいから無償で直せるけれど、自分たちにはそれだけのお金がない。問題が見つかった時、あなたのところも逃げてくれないと、自分たちも逃げられなくなる」と。「二年点検と無償の修理をやめなさい」と言われました。

競争力をつけないようにさせるのは、彼らにとってはＷｉｎ－Ｗｉｎなのでしょう。自分たちのやり方を変えないために、競争を抑えようとするケースが非常に多い。ここを変えていく必要があります。

第5章

AI、デジタル庁の可能性

10 第四次産業革命、成功のカギとは

第四次産業革命に日本はどう対応すべきか

竹中平蔵

ここで少しテーマを変えて、今世界で起きているデジタル化とＡＩを組み合わせた第四次産業革命の話をしたいと思います。新しい大きな流れが始まる中、リカレント教育も含めて、日本はどうすればいいでしょうか。

国からのインセンティブとして、Ｒ＆Ｄ（研究開発）は増加分に対して一定額を控除するという制度が、期限付きですがあります。一方データベースについては、小さな補助金はありますが、制度として大きなものはありません。

またリカレント教育については、今は雇用保険制度で行っています。日本はほぼ完全雇用なので積立金が余っています。そのお金でリカレント教育をするという制度はありますが、これも極めて限定的です。

考えるべきは、ＡＩやＩＣＴの普及率

デービッド・アトキンソン

ＡＩ（人工知能）やＩＣＴ（情報通信技術）に関して、私自身はあまり特別な技術革新になると思っていません。これまでも、さまざまな大変な技術革新がありました。ＡＩも新しい革新の一つとしか思っていません。

それを前提としたうえで、ＡＩやＩＣＴについては二つのポイントがあると思っています。一つは普及率です。私が最も重視するもう一つは、リカレント教育です。そして日本は、いずれもほとんど普及していません。

これは諸外国と比べて日本の技術そのものや政策が「遅れている、進んでいる」といった単純な話ではないです。分散型産業構造だから、構造的な弊害を抱えているので、そう簡単に普及率が上がらないのです。分散型医療体制の下、感染者が少なかったにもかかわらず医療崩壊を起こす日本の新型コロナウイルスへの対応と同じものを感じます。

一般論として新しい技術は、大企業ほど普及率が高く、中小企業は規模が小さいほど普及率が遅れます。すでに述べたようにアメリカでは五四パーセントが大企業に勤めています。二割しか大企業に勤めていない日本で、普及率が大きく出遅れるのは当然です。

生産性の話とまったく同じで、日本の大企業の生産性とアメリカの大企業の生産性は、じつはそれほど変わらない。ただ企業数が少なく、大企業に働く労働者の比率が小さい分、経済全体への寄与度が低いのです。大企業の生産性は他の先進国と比べてそんなに変わらないのに、日本の生産性が二〇二一年に世界二七位と予想されるランキングを見れば分かります。だからこそ私は「ＡＩやＩＣＴをどう考えるか」ではなく、「ＡＩやＩＣＴをどう普及させるか」が重要だと思うのです。中小企業にも普及させたほうがいいのは当然ですが、現実に可能なのか。

日本の企業の八四・九パーセントが、小規模事業者です。そして小規模事業者の平均従業員数は、三・四人です。そうした環境でＡＩやＩＣＴをどれだけ使うことができるのか。企業数の一四・八パーセントを占める最も重要な中堅企業でさえも、平均従業員数は四一・一人です。欧州の半分以下です。

これまで人類は、何がどう変わるかわからない中で、いろいろな技術に対応してきました。ここで注目したいのが、インターネットです。インターネットがなぜ成功したかというと、普及率が非常に高いからです。インターネットを利用している日本企業は、ほぼ一〇〇パーセント近いでしょう。

かつてソニーのラジオが成功したのは、ラジオを「一人に一台」のものにしたからです。

一家に一台だったラジオを一部屋に一台にして、さらには一人一台にした。要するに普及率を高めたのです。技術力の問題ではなく、普及率を高めたことで成功した。

ＡＩやＩＣＴも同じで、いかに中小企業の普及率を高めるか。今は規模の大小で行っているさまざまな企業優遇措置を、ＡＩやＩＣＴを導入しているか否かで決める。さもなくば、この問題は変わりません。

ｉＰｈｏｎｅで新しいライフスタイルが始まった

竹中平蔵

今、デービッド・アトキンソンさんから重要な指摘が二つありました。技術進歩はつねにあり、今はその真っ只中にあるのだから、普通に対応すればいいと。もう一つは、供給側に焦点を当てて話をされたことです。重要なのは普及率で、中小企業にどれだけ普及させるかが、日本の生産性を高めるカギになると。

それはそれで正しいと思いますが、私はこの一〇年ぐらいで起こった技術革新は、それまでの技術革新とは違うスケール、違う地平で起こっていると考えています。今の流れを「第四次産業革命」と呼ぶのも、それなりに理由があると思います。

何が違うかと言うと、大きかったのが二〇〇七年のｉＰｈｏｎｅの登場です。日本では二〇〇八年の発売ですが、これについて実業家の堀江貴文さんがよく「ｉＰｈｏｎｅは国民を騙《だま》した」と言っています。

「これは電話です」と言って買わせたけれど、じつは電話ではなく、実態は小さなパソコンだった。これで我々は予約や買い物から決済まで何でもできるようになり、その結果デジタルなビッグデータが溜まり始めたのです。

そこから生まれたのが、ＡＩによるディープラーニング（深層学習）の実用化です。東京大学大学院で人工知能を研究している松尾豊教授によると、ディープラーニングについては今までも考え方としてはありました。ただ、実用化できなかった。しかし二〇一二年頃に大きな技術進歩があり、ＡＩとビッグデータが相俟《あいま》って第四次産業改革への大きなうねりとなった。それがここ一〇年ぐらいの話です。

そこから新しいライフスタイルが生まれている。ところが日本では社会的規制が強く、新しいライフスタイルの登場を阻んでいるというのが、私の認識です。

例えば今はコロナ禍も重なって、在宅勤務する人が増えています。デジタル技術を使ってズームのようなオンライン会議まで、誰もが安価にできるようになりました。今まで到底考えられなかったことが、できるようになっています。

こうした在宅勤務やオンライン会議も日本の中小企業は、他の先端技術と同様に遅れています。その意味では、デービッド・アトキンソンさんの指摘も正しいと思います。

じつはもう一つ、在宅勤務が進まない理由として、日本の賃金が労働時間によって測られ、支払われていることがあります。労働の成果によって測るシステムになっていません。

安倍内閣では「働き方改革」の一環として、時間では測らない、成果によって賃金を払う仕組みを作ろうとしました。ところが「これは残業代を払わない制度で、労働者いじめだ」というレッテルを貼られ、多くの仕事はいまだ時間で払われています。専門職など、そうでない人もいますが、多くの人は時間に対して支払われている。それが在宅勤務になると、時間の管理はできなくなります。

じつは安倍内閣では、成果で賃金を支払う仕組みとして「高度プロフェッショナル制度」を作りました。二〇一九年からスタートしましたが、今これを使っている人はごく少数です。それは「年俸が非常に高い人でなければダメ」とか、使い勝手の悪い制度になっているからです。やはり今の働き方を根本的に変えていく必要があります。

規制が第四次産業革命への参入を阻んでいる

竹中平蔵

もう一つ、第四次産業革命によって始まりだした新しいライフスタイルに、遠隔教育があります。今、世界中の人たちが、ハーバード大学やオックスフォード大学の授業を聴けるようになっています。ところが日本では、こうした遠隔教育がなかなか普及しません。

例えば日本では新型コロナウイルスの感染拡大を受けて、二〇二〇年三月から全国一斉休校になりました。ヨーロッパの主要国は遠隔教育ができるので、全国一斉休校など起きていません。ヨーロッパでできる遠隔教育が、なぜ日本でできないかというと、日本の文部科学省が小中学校の遠隔教育を正式な単位として認めていないからです。

理由の一つは、教職員の労働組合の連合体である日教組が反対しているからでしょう。遠隔教育が始まると、先生の仕事は大きく変わります。これまで先生は教室ごとに教壇に立って教えていましたが、遠隔教育ならば極端な場合先生は一人ですみます。

残りの先生の仕事は、一クラス四〇人だとしたら四〇人それぞれが授業内容を理解しているかを確認する、カウンセラーのようなものになります。そうなると今までの教員免許が不要になりかねません。

日本では学校で教えるためには、教員免許が必要です。それが一つの特権階級を生み出しているのですが、その特権が大きく左右されることから、なかなか進まないのでしょう。

せっかくブルーオーシャン（競争のない未開拓市場）があるのに、規制や既得権益層の反対によってＧＡＦＡやウーバーのようなユニコーン企業が出てこない。私が一番問題視するのは、そこです。ライドシェア一つ、できないのですから。

一九八〇年代半ばに東京ディズニーランドができた時にも、一つ象徴的な事例がありました。周りにホテルが少ないので空いているマンションの空き部屋を集め、それを旅行者に貸し出すことを考えた会社があったのです。部屋の鍵は近くのコンビニに預け、泊まる人はそこで鍵を受け取る、今で言う民泊です。

ところがこれが、政府に止められたのです。「旅館業法に反する」と言って。もしあの時に止められていなければ、この会社は今頃アメリカのエアビーアンドビーのようになっていたかもしれません。新しいことを試みようとすると、残念ながら必ずと言っていいほど規制が入るのが日本なのです。

11

デジタル庁に期待すること

デジタル庁を企画官庁ではなく事業官庁に

竹中平蔵

ＡＩ（人工知能）やＩＣＴ（情報通信技術）の普及という点で、私が今大いに期待しているのが二〇二一年九月に発足するデジタル庁です。ここからデジタル庁についての話を進めたいと思います。

これまでデジタルの話は、各省庁とも庁内に専門家が少ないので、すべて業者に丸投げしてきました。そこには莫大なお金が流れていて、何か一つ修理するにしても自分たちはよくわからないから、「とにかくお金を出すからやっといて」といった感じでした。

今回できるデジタル庁は、省庁のデジタル関連の予算が全部そこに統合されます。その意味で統一的なチェックができるし、規格の統一にもつながります。

今までは規格を統一していないから、各省庁のデータの連携もうまくいきませんでした。デジタル庁の設置によって、これまであった問題を解決していく。そのためには評価ができる人材を集めることも重要です。

つまりデジタル庁は、たんなる企画官庁ではなく、事業官庁になる必要がある。例えば遠隔教育は本来文科省の領域ですが、デジタル庁が主体となり、文科省を巻き込んでいく。予算もデジタル庁に与える。そうすればいろいろな権限について、さまざまな議論ができ、勧告権も活用しながらいいものを導入できます。

ソースコードを公開して競争原理を働かせる

デービッド・アトキンソン

私は昔、コンサルティング会社でも働いていたのでわかりますが、日本の業者は競争を嫌います。典型が日本の情報システムの作り方で、パッケージで十分対応できるのに、カスタムでやろうとします。カスタムの場合、不具合が起きた時の対処法は、その業者にしかわかりません。つまり、依存症にさせるのです。そうなればもう競争は働きません。

これまでデジタル戦略がうまくいかなかったのも、「競争させる」という概念を各省庁が持たなかったからです。一つの企業に任せてしまう。その企業は見えないところで絶対に既得権益を作ろうとします。

そうではなく、アメリカのようにソースコードを公開して、競争原理が働く仕掛けを作る。今までの日本の省庁の概念にないことを、徹底的にやってもらわなければいけません。

徹底したコスト・ベネフィット分析を

竹中平蔵

その意味では、徹底したコスト・ベネフィット分析も必要になります。国によっては内閣府的な組織内にコスト・ベネフィット分析だけを行う部署があります。日本も同じようにコスト・ベネフィット分析に特化した部署を設ける必要があります。

デジタル庁に連れてくる人材の条件

デービッド・アトキンソン

そうすることでデジタル庁を競争原理がきちんと働く組織にする。かつ普及率を高める作りにする。そのためには民間の知恵が必要になりますが、ここで既得権益を作らせないことも重要です。

例えばイギリスの金融庁では、たいてい金融業界から来た人をたくさん受け入れていきます。最先端の金融商品の細かい仕組みをはじめ、官僚にはわからないことも多いので、専門の人が必要です。

ただし条件があって、一つはその会社でかなり成功した人です。金融庁では、多額の報酬を出せません。それでも受け入れることができる人を探します。稼ぐことより国のために働く人を優先するので、金融界で成功して、蓄えのある人が受け入れやすいです。しかし、その場合、権限を与えないといけません。

加えて元の会社との関係が、完全に切れている人です。つまりその会社で成功したけれど、会社としがらみがない人をピンポイントで雇うのです。

デジタル庁も、やはり優秀でものすごく詳しい人を連れてくる。ただし既得権益を作らないために、今の業界と適切な距離感にある人を選ぶことです。

「中立」ではない人選が大事

竹中平蔵

そのとおりです。だから同じ会社で四〇年勤めて社長になった人、というのではない本当の意味でのプロの経営者で、いくつかの会社経営を経験している人が求められます。

私が金融担当大臣時代のゴールドマン・サックスの会長兼最高経営責任者ヘンリー・ポールソン氏は、ブッシュ政権で財務長官を務めました。ポールソン氏がしがらみがあったかどうかはわかりませんが、金融について、本当にわかっている人がなりました。日本の場合、すぐに「中立性」というおかしな言葉を持ち出します。だから役人がそのまま、トップに就くことにもなります。私がＧＰＩＦ（年金積立金管理運用独立行政法人）の改革について議論した時、驚いたのが各年金から来たトップの顔ぶれです。彼らの仕事は年金基金の運用ですが、運用など携ったことのない元役人ばかりでした。「中立性」で選ぶと、そういうことになるのです。

その意味では今の金融庁の幹部にも、金融市場で取引を行った経験のある人は一人もいません。そこからわかるのは、まさに雇用の流動性がない、縦割りでずっとやってきたことの弊害です。これからフィンテックの時代になると、ますますその分野に詳しい人材でなければ成り立ちません。

スワップを知らなかった金融庁の職員 ——デービッド・アトキンソン——

私はゴールドマン・サックス時代に金融庁の検査に関係したことがありますが、驚きの連続でした。例えばスワップ取引の話になった時です。彼らにはスワップの知識が、まったくなかったのです。

仮に私が変動金利の収入に対して固定金利の支払い、竹中先生が変動金利で資金を調達して、固定金利の収入を得ているとします。どちらも金利が動くと、赤字になるリスクがあります。またどちらも逆のパターンだから、「じゃ収入をスワップしましょう」。それによって、収入と支払いは変動金利同士となったり、固定金利同士となったりするので、利益が固定されます。ところが、それを「飛ばしでしょう」と言うのです。「飛ばしじゃない。あなたたちは、この商品を認可しているでしょう」と言っても通じない。まったく意味不明で、金融がわかっていなかったのです。だから業界出身者は重要です。

第6章

霞が関にもの申す！

12 観光戦略に必要なのはマーケティングの視点

小泉内閣時代から始まった観光立国構想

竹中平蔵

次に観光の話に移りますが、デービッド・アトキンソンさんのインバウンド（訪日外国人旅行者）政策への貢献は非常に大きいものがあります。じつは現在デービッド・アトキンソンさんが進めている観光戦略は、振り返ると小泉内閣の戦略そのものです。

小泉内閣ではさまざまな「骨太の方針」を作って経済財政改革を進めましたが、ある時、当時の福田官房長官に言われたのです。「改革が必要だけれど、とくにいま地方が困っている。幅広く地方に行き渡り、地方が活性化する方法を考えてくれ」と。そこで私が提案したのが観光産業の強化でした。

ところが当時はまだ「自動車産業が重要」「鉄鋼産業が重要」といった声ばかりで、「観光産業なんて主要産業ではない」と相手にされませんでした。それでもいちおうエビデンスを出して、「観光は裾野《すその》の広さにもよりますが、世界で最も大きな産業です」と伝えました。

当時アメリカで直接・間接合わせて観光産業に従事している人は、一二パーセントぐらいいました。ヨーロッパも、一〇パーセントを超えていた。一方の日本はその半分ぐらいで、そこから「日本の観光産業は、まだまだ伸びしろがある」と。現実に、高齢化が進む中、リタイアした後に何をしたいですか、というアンケート調査がありますが、圧倒的一位が「旅行したい」なのです。

また「観光」という日本語は面白い言葉で、「光を観る」と書きます。もともとは中国の古典「四書五経」の『易経』に出てくる「非常に素晴らしい国に行くと、光を観る思いがする」から取ったものです。

言わば観光は経済と繁栄の象徴であり、じつにおめでたい産業なのです。そんな説明をしたのですが、それでも国土交通省はのってきませんでした。仕方がないので福田官房長官が議長になり、総理官邸に観光産業に関する委員会を作りました。そこから出てきたのが「ビジット・ジャパン・キャンペーン」という考え方です。この頃からようやく少し議論が始まったのです。

この時私は、いくつかのことをお願いしました。その一つが、各大学への観光学部の設置です。当時の日本の国立大学には、観光学部が一つもありませんでした。一方オーストトラリアを調べると、ほとんどの主要大学に観光学部があります。しかも英語名が面白くて、「ファカルティ・オブ・ホスピタリティ&ツーリズム」、つまり「もてなし観光学部」なのです。

そんな話をして、福田官房長官が進めてくれたのです。そしてのちに福田氏が総理大臣になった時に、観光立国推進基本法を進めてくれました。福田内閣では国会での第一回演説で、「観光立国を目指す」といったことを述べています。

そうした流れの中、少しずつ観光戦略が動き出していった。当時は五〇〇万人だったインバウンドを「一〇〇〇万人にする」と言ってみんなに笑われましたが、その後、状況がいろいろと変わってきた。さらにデービッド・アトキンソンさんが大きく押し上げてくれて、菅内閣官房長官時代にどんどん実現していった。コロナ禍が起こる前には、四〇〇〇万人近くにまでなりました。

デービッド・アトキンソンさんは、このインバウンド観光というものに対して、いつ頃から主張していたのですか。きっかけは何でしょう。

具体的なアプローチで観光客を増やす

デービッド・アトキンソン

二〇一六年からです。きっかけは小西美術工藝社の社長になり、経営を立て直したあとになります。文化財修理の業界の中で、小西美術は漆塗りや彩色を行う装飾部門の最大手企業ですが、社内改革が終わり次にぶつかったのが職人文化をさらに安定させるための制度全体の壁です。そこから文化財修理業界そのものと文化財行政をよくしなければならないと、考えるようになったのです。簡単にいえば、閉鎖されていた業界を盛り上げなければいけないと思いました。

当時の文化財に関する行政は、たんに「保存すればいい」という考えでした。でも私としては、「ただ保存すればいい」という考え方には発展性がないと思った。そんな時に自民党の二階俊博幹事長にお会いしました。

いろいろな話をする中で言われたのは、「あなたが文化財修復の重要性をどれだけ訴えても、経済合理性のある理由がない限り、予算は増えないよ」というものでした。「『確かに文化財は大事です』などと、みんなあなたのやっていることを褒めるだろうけど、その人たちが実際に予算を増やす行動をしてくれるとは思えない。そういう声には騙されないほうがいいよ」と。

確かにそのとおりで、とくに財政が厳しい日本において、経済合理性のある文化財活用法がなければ説得力がありません。そのために浮かんだのが、観光だったのです。文化財は観光戦略の重要なコンテンツの一つなので、観光業界が元気になれば、文化財も元気になる。文化財が元気になれば、文化財を守る業界も元気となって、職人文化を守ることができるはずだ、と考えていました。

そこから猛勉強をスタートしました。海外の観光戦略を調べたり、大学の論文や教科書を勉強したりしました。それをベースにして、『新・観光立国論』を書きました。

当時の観光戦略、とくに民主党政権の三年間は、年間八〇〇万人だったインバウンドが、八〇一万人に増えただけです（笑）。

確かにリーマンショックの影響や東日本大震災もありましたが、私には当時の観光戦略がかなりずれているものにしか見えませんでした。実際、観光庁はいろいろやっているのですが、成果がほとんど出ていませんでした。

それが菅官房長官の時代になって、ある日爆発的に増え出すのですが、これは政策を具体化させたからです。観光戦略実行推進会議は官邸に一、二カ月に一度集まり、「誰がいつまでに何をすれば、実態経済が変わるか」という次元で考えていったのです。「この規制はおかしいから変えてほしい」「成田空港の入国に要する時間短縮戦略」といった細かい話まで突っ込んで議論し、官房長官が一つひとつ課題を潰したのです。

観光戦略で重要なのは、「世界平和のため」「日本のおもてなしは素晴らしい」といった抽象的な話ではなく、インフラ整備の具体的な話を進めることです。「新幹線にＷｉ―Ｆｉがない」とか「羽田空港にスマホの充電器がどこにもない」とか、問題点を見つけて改善していく。その意味で菅官房長官は、すごいです。官房長官なのに、羽田の充電器のことまで考えるのですから。

すでに国策になった「成田空港で入国審査の待ち時間を二〇分以内に」もそうです。成田空港に降りた人が、いかに気持ちよく合理的に入国できるかを考える中から生まれたものです。

それまで成田空港の入国窓口は日本人用と外国人用が別々で、日本人は、パスポートを見せるだけで簡単に出られるのに、外国人は二時間以上待たされることも少なくありませんでした。

そこで菅官房長官が考えたのが、日本人の入国手続きがすんでいる窓口があれば、次の便が到着するまで、そちらの窓口に外国人を回すというものです。成立するまで紆余曲折《うよきょくせつ》ありましたが、最終的に通って「二〇分以内を目指す」となりました。

日本の観光戦略の問題点として「高級ホテルが少ない」というものもあります。観光収入のうちの半分が、宿泊と飲食です。観光はとくに日本の地方経済を活性化することが最大の狙《ねら》いですから、観光客一人あたりの単価を上げることが重要です。そのための一つには、高級ホテルを作るのが効果的です。高級ホテルがたくさんあり、そこにたくさんの人が泊れれば収入が大きく増えます。とくに、分析すると、日本には富裕層を誘致できるホテルの数はバリ島にある高級ホテルより数が少ないことに驚きました。

そこから今進めているのが「上質なホテルの五〇カ所戦略」です。単価の高い、極めて高レベルのホテルを五〇カ所建てようというわけです。

上質なホテルの特典の一つは、そこに働く日本人労働者の給料が高いことです。

今まで日本に単価の高いホテルが少ない原因には国内の不動産開発会社の考え方があります。簡単にいえば、マーケットアウトの考え方が強いことです。手に入った土地にホテルを建てる。そのホテルの客室数を二〇〇室以上にするという戦略です。半面、需要側、お客さんにとって、その場所がいいかどうか、二〇〇室のホテルに泊まりたいかどうかは、不動産会社は調査していることもなければ、あまり気にしてもいません。だからこそ、富裕層は日本にあまり来ないのです。それによって、機会損失が大きいのです。

それよりもホテル側と観光客と開発会社の三者にとって、ベストなホテルを開発する。

たまたま買った土地に建てるのではなく、極めて具体的なレベルで協議する。国策と民間経済があまりつながっていない日本で、どこまでできるか不明ですが、三者が満足できる新しい挑戦もされています。

また、従来の観光戦略は、情報発信さえすれば、すぐに人に来てくれると安易に考える傾向が強かった。博物館や美術館もそうです。「グーグルに二〇〇〇万円払って、大分県立美術館を全世界にアピールしよう」といった具合です。しかし、情報発信は言われるほど効果がありません。例えばアメリカのテキサスにいる人が「〇〇県立美術館に来てください」と言われても、何の関心も持ちません。そもそも「〇〇県ってどこ？」で終わりです。

これが従来のやり方でしたが、今は違います。「館内はバリアフリーに対応しているか」「所蔵物は全部ネット上にアップしているか」『日本語も外国語対応の解説はできているか」などといったことを一つひとつチェックし、そのうえでインフラ整備を行っていくのです。

同時に、どうすれば入場者が増えるかを調査する。今までは入場者へのアンケートで「満足した」「大変満足した」「満足しなかった」などと聞いていましたが、そうではなく、「どうすればもっと満足してくれますか」と聞いていくのです。要するに、人が来ない理由は情報発信が少ないか、そもそも十分な魅力がないか、を調べる。魅力のないものを情報発信しても意味がないですし、魅力が高い施設は、ネットの時代ですから、訪れた人が勝手に情報発信をしてくれるから、情報発信より魅力向上ではないかと私は考えます。

要は観光客の普及率を高めるための戦略を、徹底的に講じてきたということです。たんに人を呼ぶだけでなく、行きたい気持ちにさせるには、どうすればいいかと。

インバウンドに向けてできることは、まだまだある

竹中平蔵

観光の話は、確かにそこが肝だと思います。私が観光庁を作る時に一つ提言したのが、「観光庁全体を民間委託しろ」というものです。観光戦略に求められるのは一種のマーケティングですから、役人より民間人のほうが得意なはずです。残念ながら聞き入れられませんでしたが、結果的にデービッド・アトキンソンさんが菅官房長官のもと、民間の知恵で実行したのです。

当時を振り返ると、成功に必要な条件がいくつも整っていました。まず安倍内閣の最初に金融政策が代わり、円安がかなり進んでいました。海外の人から見ると、日本に来るコストがたぶん三〇～三五パーセントぐらい安くなっていました。

加えてリーマンショックからの回復が、アジアの国は比較的早かった。所得効果と価格

効果がマクロ的な背景としてあり、さらに今言われたようなさまざまな工夫があった。ビザの規制緩和もありました。それらが重なって、一気に爆発的に伸びたと思います。

そこから日本の持っている文化やソフトパワー、食文化も含めて「意外に面白いじゃないか」となって、コロナ禍前、活況を呈するようになったのです。

ちょうど同じ頃、私は森記念財団の都市戦略研究所で「世界の都市総合力インデックス」を作り始めました。要は都市ランキングで、「経済」「研究・開発」「文化・交流」「居住」「環境」「交通・アクセス」という六分野の視点から、合計約七〇の指標を複合的に組み合わせて都市の総合力を測るというものです。そこには「ラグジュアリーホテルの数」や「空港までのアクセスのよさ」なども含まれます。

これで見ると一位は今、ロンドンです。もともとはニューヨークが一位でしたが、二〇一二年のロンドンオリンピックをきっかけに、ロンドンが一位になりました。一方でニューヨークはリーマンショックからの立ち上がりが遅かったということで、二位になりました。

三位がパリで、四位が東京でしたが、数年前にパリと東京が入れ替わり、東京が三位になりました。ここで決め手となったのが、アクセスです。当時は羽田空港の国際化が軌道に乗ってきたところでした。

羽田空港の国際化は小泉内閣で議論が始まりましたが、当初、国土交通省は大反対でした。理由は簡単で、成田空港を作った時に「国際空港は成田空港にする」という約束を千葉県としたからです。「だからできない」と。それを「もう環境が違うのだから、やりましょう」と説得し、ようやく準備が始まりました。

その後準備期間を経て、民主党政権の途中で国際空港として一部使えるようになりました。これがデービッド・アトキンソンさんが観光戦略を始めた時に、功を奏したのです。

やはりアクセスは大切で、羽田空港のような、都心から一九キロしか離れていないところに国際空港があるのは、世界的でも極めて稀です。そのメリットが評価され、ランキングが三位に上がったのです。

ただし日本の観光にはまだまだ課題があって、その一つが「おもてなし」です。「日本はおもてなしの国」と日本人は思っていますが、私は全然思いません。自分たちが「いい」と思い込んでいるおもてなしを、一生懸命に提供しているだけです。

例えば羽田空港で私が何度も体験したのが、空港で何かお願いすると、「申し訳ありません。それはできないことになっています」と言われることです。「どうしてできないのですか」と聞くと、何の説得力もない答えが返ってくる。ニコニコしながら「できないことになっています」と言うだけです。

同じようなことをサンパウロの空港で言うと、ニコニコせず仏頂面ですが一生懸命考えて、こちらの要求を叶えようとしてくれます。どちらのほうが、よいもてなしなのか。それを決めるのは簡単ではなく、日本にもよいところはありますが、もう少し考えてもいいように思います。

また改善という点で若干残念だったのが、東京オリンピック・パラリンピックを契機に本来ならできる改善が、いくつかあったことです。私が一番望んでいたのは新幹線の駅を羽田空港に作ることです。

今新幹線は、品川駅から大井車両基地に入ります。大井車両基地は羽田空港と数キロしか離れていません。ちょっと線路を伸ばしたら、羽田空港まで行けるのです。これなら羽田空港に着いたあと新幹線に乗ってすぐ、どこにでも行けます。それを実現していたらよかったのではないかと思うのです。

もう一つは静岡空港駅です。東海道新幹線は静岡空港の真下を通っていますから、ここに駅を作る。今、静岡空港に近い新幹線の駅は掛川駅と静岡駅ですが、いずれもバス移動が必要です。静岡空港駅ができれば、東京から約一時間で行けるようになります。実現していれば静岡空港は首都圏の第三の空港になっていました。

さらに、新たな観光戦略として今後期待しているのが、ＩＲ（カジノを含む統合型リゾート）

です。コロナ禍が収束してインバウンドが戻ってきたら、ＩＲを建設する。私自身はカジノが好きではありませんが、Ｇ７の中で日本は、ＩＲを持たない唯一の国です。シンガポールはＩＲを作ったことで、インバウンド客が一気に三割も増えました。しかも非常にうまい制度を作り、犯罪率も減らした。また先ほどの都市ランキングで日本はラグジュアリーホテルの少なさが大きな課題でした。ＩＲができればラグジュアリーホテルも増えることになるでしょう。

ビジネスの視点が抜けていた

――デービッド・アトキンソン――

ＩＲでシンガポールのインバウンド客が三割増えたなら、収入は三割以上増えたでしょう。日本にはラグジュアリーホテルが本当に少なく、私が二〇一五年に『新・観光立国論』を書いた時は二八軒程度しかありませんでした。欧州の先進国は一〇〇軒を超えています。日本に数百軒があってもおかしくないです。今は増えてきましたが、まだまだ不十分です。

私は民間ですが第三者で、観光産業に既得権益は何一つありません。ただ経営者として、あるいはアナリストとしての分析能力を使って、観光戦略に寄与したいと思っているだけです。

その分析力によって、観光戦略に貢献できたと思っていることの一つが「おもてなし」に対する誤解を正したことです。観光戦略で一番大きな役割を果たすのは「日本人のおもてなし」と言う人がいましたが、おもてなしと観光客誘致に因果関係はほとんどありません。パリを見れば明白で、おもてなしで見ればパリは最悪です。それでいてフランスは世界一の観光大国になっているのです。

政府は訪日外国人客を二〇三〇年までに年間六〇〇〇万人にすると言っていますが、これを実現するには、かなり精密な工程表が必要で、「まずはこれをやります」「来月はこれをやります」と極めて戦略的に進めなければなりません。

分析に基づき、「観光産業を盛り上げるには何が原動力として重要か」「ビジネスとして成功させるには何が重要で、何が足りていないのか」「どうすればそれを充実させられるか」といったことを一つひとつ積み重ねていくしかありません。

多くの人が重要視する「日本文化」にしても、観光資源としては大事ですが、それほど大きな役割を果たすものではありません。世界の観光客の行動を分析すると、「文化」に興味を示すのは二割程度です。自分たちに置き換えてもわかります。ロンドンやパリ、ニューヨークといった大都市に行く時、その目的が「伝統文化」だけという人は稀でしょう。やはりショッピングや食事、ナイトライフなどに人気が集まります。

また大都市の次に人気が高いのは、ビーチリゾートやナショナルパーク（国立公園）といった自然を楽しみ、味わう場所です。山登り、川下り、サーフィン、熊野古道を歩く、サイクリング、グランピングなどなど。ところが一〇年前の日本の観光戦略には「自然」という発想がほとんどなく、私が日本政府観光局の顧問になった時も、発している情報は「文化」と「歴史」が圧倒的でした。

世界に一二億人ほどいる観光客について、実際にどのような観光を望んでいるかを分析していなかった。勝手に「おもてなし」「歴史」「文化」「革新」などと決めつけ、発信していたのです。

「アニメ」も同じです。当時は「アニメとマンガは日本の誇る文化」と、どんどん打ち出していました。確かに日本のアニメ・マンガは、世界の市場の中で八〜九割のシェアを占めています。

でも世界の観光客で、アニメ・マンガを期待して日本に来る人は数パーセントです。一定の人は来ますが、それだけで観光ビジネスにはなりません。観光大国などあり得ません。そういう視点が抜けていたのです。

情緒的だったり非現実的だったり、ビジネスとは関係ない話ばかりでした。悪くいえば、ビジネスの経験がなく、ビジネスの意味もわからない官僚が、補助金を消化するためにお金をばら撒《ま》いていたのです。成果になるかどうかよりは、その補助金の消化だけを手伝う会社も多かったです。ビジネスとして、経営者として、どれぐらいの人たちに、どこからどうやって来てもらうか。毎日何を提供して、何を楽しんでもらうか。そういう発想が完璧に抜けていました。

観光庁に観光のプロはいない

竹中平蔵

本当に民間にやってほしかったと思います。デービッド・アトキンソンさんは、アドバイザーとしてその役割を果たされた。観光庁といっても、国土交通省の外局です。日本の役人はいろいろな部局を回るので、観光のプロフェッショナルは、充分にいません。

ネットから誰でも最先端の情報が手に入る

デービッド・アトキンソン

彼らの分析能力のなさには、本当に驚きました。私ももともと観光のプロではありません。それでもネットの時代ですから、海外を探せば観光系の大学の教科書やUNWTO（国連世界観光機関）が出している論文など、情報は山ほどあります。

もともとオックスフォード大学の教育スタイルが非常に役に立っています。毎週、勉強するテーマを先生に与えられ、一週間かけてそれに関する世界中の最先端の論文や専門書を読みます。そのうえで自分の意見をまとめるのです。

同じプロセスを私は中小企業政策でやりました。私は中小企業の専門家ではありませんでしたが、世界の中小企業研究の第一人者の分析をいっぱい読めば、それより先に行けなくても少なくとも世界の最先端の研究がわかります。

観光も同じです。やろうと思えば最先端のところまで行けるのに、なぜその努力をしないのか不思議です。

13 政府主導の政策決定を取り戻せ

日本の高級官僚がダメな理由

竹中平蔵

最先端の情報がいくらでも手に入るのに、観光庁はそこから学ぼうとしない。非常によくわかる話です。これは日本の官僚全般に通じる話で、ここから日本の官僚の問題について議論したいと思います。

私は二九歳で初めて本を書き、サントリー学芸賞を受賞しましたが、この時に日本の学術界の浅さに気づきました。私が書いたのは『研究開発と設備投資の経済学』という設備投資に関するものですが、日本ではどの分野にも真の専門家がほとんどいないのです。だから一つのテーマを五年間、一生懸命研究すれば、その分野のトップレベルに行けたのです。

それぐらい日本の専門家は論理的に考えて、しっかり分析する訓練を十分に受けていません。もしくは雑用に追われ、仕事に専念できません。これは大学の話でも述べましたが、同じことが日本の官僚にも言えます。とくに日本で高級官僚と言われる人には、二つの特徴が多く見られます。

一つは、世界の高級官僚に比べて極めて低学歴だということです。つまり博士号や修士号を持っている人が、ものすごく少ない。通常の学士課程で、しかも大教室の授業を受けてきた人ばかりです。だから申し訳ないですが世界に比べると低学歴で、とくにアメリカと比べて著しく差があります。

もう一つは、高級官僚はある一定年齢になると、仕事のほとんどが政治家とのつきあいになるということです。政治家への根回しが彼らの仕事のほとんどで、政治家とうまくつきあえる官僚が高級官僚になるのです。そこが論理思考という観点からすると、全体として底の浅い社会になっている原因だと思います。

日銀総裁は、先進国で唯一ＰｈＤを持たない総裁か

［デービッド・アトキンソン］

これは事実なのか確認したいのですが、先日聞いて驚いたのが日本銀行の総裁で経済学のＰｈＤを持っている人は、これまで一人もいなかったということです。

海外では全員とは言わないまでも、ほとんどの中央銀行総裁は、原則としてＰｈＤを持っています。日銀は先進国の中で唯一、経済学のＰｈＤを持たない総裁が当たり前の、中央銀行ということでしょうか。

専門外ならノーベル賞受賞者も却下するアメリカ議会

――竹中平蔵――

おっしゃるとおりです。日銀の総裁でＰｈＤを持っていた人は、今までほとんどいなかったと思います。現在の政策委員会の審議委員の中でも、ＰｈＤを持っている人は一人ぐらいではないでしょうか。一方アメリカの連邦準備制度理事会の理事では、ＰｈＤを持たないのは一人か二人です。

オバマ政権時代に有名な話があって、ＭＩＴの教授でノーベル経済学賞受賞者のピーター・ダイアモンドを連銀の理事にするという話が出た時です。議会がそれを却下したのです。なぜなら彼は優れた経済学者だけれど、専門は社会保障で金融の専門家ではないからと。専門外であれば、ノーベル賞受賞者でも却下されるのです。

これが日本だと、専門家でも何でもないＸＸ産業の元会長みたいな人がなります。だから低学歴なんです、驚くほど日本は。

最近はＰｈＤを取っている官僚もいますが、少ないことは確かです。意外に取らせているのが財務省で、それは組織に余裕があり懐が深いからでしょう。そのため他省庁に比べると多様な人材を出すようになっています。

専門外での話も即座に理解するＥＵのエコノミストたち

――デービッド・アトキンソン――

オックスフォード大学の先生に聞いたのですが、日銀はマスターなら取らせるけれど、ＰｈＤまでは取らせないそうです。理由を聞くと、「全員にＰｈＤを取らせるわけにはいかないから」と。優秀な人だけにＰｈＤを取らせると、他の人たちとのバランスが取れなくなる。だからマスターまでしか取らせないのです。

先生としては、日銀から来る人は優秀なので指導教官になってＰｈＤを取らせたいのに、日銀から拒否される。そんなことが何回もあったと言っていました。

また先日、ＥＵの駐日代表部に頼まれ、ＥＵ二七カ国のエコノミストたちに日本経済について説明に行きました。経済成長と人口、生産性、産業構造など、さまざまな難しい問題について話したのですが、二七カ国の人たち全員が私の話をすぐに理解していました。

話の途中で、「この部分は細かく説明しなくても大丈夫」といったこともわかります。わずか三〇分ほどで、中小企業と経済成長における生産性の問題、何が問題なのかについて全部話すことができました。これは日本人では、まず無理です。日本は、大卒者でも、「中小企業の生産性が低いのは、大企業の下請けだから」「中小企業政策を変えれば、技術は消えるよ」「生産性向上を求めると地方は衰退する」という合成の誤謬《ごびゅう》だらけの指摘が来ますが、当日はそういった幼稚な質問は一つもなかったのです。

質疑応答では、専門でないにもかかわらず、極めて鋭い質問が来るのです。例えば竹中先生と私が議論しているような内容です。彼らは日本に来てまだ三カ月とか半年ぐらいなのに、三〇分聞くだけで本質をついた質問ができるのです。

彼らはやはり、ＰｈＤ保持者が多かったです。たまに「私はマスターしかありません」という人がいる程度です。日本のデータや統計を投げていけば、決まったプロセスを経てアウトプットが出てくる。そんな歯車が回っているのが見える、素晴らしく快適な時間でした。こういう人たちが霞が関にいたら、どんなに楽に日本が素晴らしい国になるだろうと思いました。

日本の政策決定のメカニズムをどう見るか

竹中平蔵

少しの情報から全体を理解できるのは、いわゆる「アナリティカル・フレームワーク（分析の枠組み）」を持っているからです。そこに適切な専門用語を絡めれば、極めて短時間で話ができ、お互いにコンセプトを共有してクリエイティブな話ができます。ダボス会議もほとんどそうで、そこが日本の弱点というのは、そのとおりだと思います。

その話に関連して、この対談の最後の議論としてデービッド・アトキンソンさんと、日本の政策決定のメカニズムについて議論したいと思います。

デービッド・アトキンソンさんは成長戦略会議のメンバーとして日本の政策決定に関わっているわけですが、この点をどのようにお考えですか。

政策決定のプロセスが見えない成長戦略会議

デービッド・アトキンソン

すべて海外がよいとは思いませんが、それでも日本の政策決定には多少疑問に思うところがあります。

例えば一九九〇年代に日本で金融の不良債権問題が起こり、ここから世界恐慌が起こるのではないかと危惧された時です。私は金融の専門家の一人として、アメリカ政府に呼ばれ、公聴会に出席しました。

一五分ほどのプレゼンをして、その後の質疑応答を経て、二時間半くらい、徹底的な議論が行われました。これが日本の会議だと、話す時間はわずか三分です。

その場にいる大臣たちには、それまでに勉強会などで有識者の考えを説明する機会はありません。プレゼン後の質疑応答もありません。これで例えば成長戦略会議において私の考える中小企業政策を理解してもらえるはずがありません。せいぜい「またアトキンソンが、中小企業をいじめる話をしているのだろう」と思う程度でしょう（笑）。

つまり私の考えを伝えようと思ったら、個人的なつきあいをするか、著書を読んでもらうかしかないのです。

にもかかわらず、成長戦略会議で政策が決まっていく。どのようなプロセスで決定に至るのか、今一つ見えません。そこに合理的で理想的な判断が働く余地はあるのか。みんな何となくつまみ食いしてピックアップしているようにも思います。

メンバーたちの考えるフレームワークを聞き取ったうえで、政策判断すると思っていたのですが、違う印象を受けました。

成長戦略会議のメンバーは四人でいい

竹中平蔵

政策決定のメカニズムが見えないのは、おっしゃるとおりだと思います。私も政策分析をもう何十年もやっていますが、二〇年前に大臣になって、初めてわかったことはものすごくたくさんありました。

日本は議院内閣制ですが、同じ議院内閣制でもイギリスとは少し違います。議院内閣制の本質は、議会における多数派である与党のトップが、行政府のトップつまり内閣総理大臣になるというものです。

与党と政府が一体なので、政府が政策を決める場合、事前に与党の最高意思決定機関である総務会に承認を取っておく必要があります。党にはいろいろな意見がありますから、総理大臣といえども、それらを微妙に調整していく必要があります。

ここで問題なのが日本の場合、その微妙な調整を官僚がやっていることです。先ほど述べたように高級官僚、つまり課長以上の仕事のほとんどは政治家とのつきあいです。各省庁は与党の部会とつながっていますから、政府に上がってくる案は必然的に既得権益者の意見がすごく強くなるのです。ここが日本の政策決定のプロセスを、非常にわかりにくいものにしています。

これを是正するために二〇〇一年の小泉内閣から始まったのが、総理官邸主導への改革です。もともとは橋本行革から始まった改革です。総理大臣の力を使い、官僚を通さずに首相官邸で議論することで、各省庁が出してくる案と戦う仕組みを作る。

この時に私は経済財政政策担当大臣として、内閣府に設置された経済財政諮問会議を担当しました。この時は民間議員四人と協力しつつ、小泉首相のリーダーシップの下、重要な役割を果たしました。ところが小泉内閣が終わると、それがだんだん機能しなくなったのです。

私が経済財政政策担当大臣だった時は、民間議員が分析的枠組みに基づいてペーパーを書き、きちんとした政策提言をしていました。この時、民間議員ペーパーについては絶対に各省庁に事前の根回しをさせませんでした。事前にペーパーを見せると、彼らは既得権益を守るために反対してきます。必ず反対意見書が出され、圧力がかかり、潰されかねないからです。

ところが小泉内閣が終わると、民間議員ペーパーが根回しされるようになったのです。その結果、諮問委員会は十分機能しなくなりました。さらに安倍内閣になってからは、ほかにもいろいろな会議ができたため、経済財政諮問会議は、司令塔としての機能をますます失っていきました。

それを菅内閣では経済財政諮問会議を中心に置き、それを具現化するための成長戦略会議を置きました。ここにデービッド・アトキンソンさんや私も、メンバーとして入ったわけです。今回の成長戦略会議の設置によって、小泉内閣のようなシンプルな形に少しは近づきましたが、問題は一〇人という、メンバーが多くいすぎることです。

そのため各メンバーは数分間意見を言うだけで、あとは事務局、つまり官僚がまとめることになっています。結果としてメンバーの意見はどう採択されたかわからず、総理主導、政治主導の色彩がわかりにくくなっています。

言わば各業界の代表など、いろいろな人たちの意見を聞いて、「まあこのぐらいならいいだろう」と平均化したものを「成長戦略」としているのです。分析的枠組みに基づき、かつそれを首相主導のもとで行うという、小泉内閣時代のような仕組みにはなりきっていません。

菅内閣でかなり改善されましたが、将来的にさらにきちんとした政策会議にするなら、真の専門家を四人程度集めれば十分だと思います。その四人で、各業界の話をヒヤリングすればいいのです。論理的枠組みを持った専門家がきちんとした政策を作り、それを首相が認めるという流れにする必要があります。

「自分たちは多少犠牲になっても」と言う人がいない

―デービッド・アトキンソン―

私は今、菅首相主導のもとで観光に関する霞が関の数多くの会議や委員会に携わっています。全部で二〇以上あり、多くの委員会に携わることで、矛盾点や調整すべき点も見えてきました。

しかも地方を回ることも多いので、実際の現場がどうなっているのかもわかります。成果が出ているからいいですが、世界第三位の経済大国として、このようなやり方でいいのかを疑問に思います。

成長戦略会議も同じです。各メンバーがそれぞれ三分ずつ発言しますが、テーマは自分で決めたものではありません。「このテーマについて発言してほしい」と言われて発言するだけです。

パッチワークみたいな意見を言うだけで、それでいて発言者は、その立場ごとの代表みたいになっている。聞く前から「この人は、こういうことを言うのだろう」ということが、わかっている感じです。

本来は中立的な独立性ある会議なのだから、有識者は自分の立場とは関係なく「こうすべきです。あとで自分たちの業界と調整します」と言うべきです。自分たちの業界は多少犠牲になっても、国の成長のために調整する。そういう話ならいいのですが、全然そうなっていません。むしろ逆です。

成長戦略会議に菅首相が期待するもの

――竹中平蔵――

実際、意見のパッチワークなのです。これが、悪い意味での日本のコンセンサス作りです。ただしパッチワークだけではダメなので、せめて一部にきちんとした意見を入れる。その役割を我々が担っているのです。

私は六年近く小泉首相のそばに仕えましたが、日本のシステムでは総理大臣といえどもなかなか思いどおりになりません。与党の力が非常に強く、与党は一人ひとりが「自分は国民の代表」というプライドを持っています。だから一人の議員が反対すると、なかなか一つのことが通りません。

そうした全体の構図は変えられませんが、強く主張すれば一部を変えられることも確かです。競争戦略も通せるし、中小企業に対する政策も、一部ですが通りました。しかしこれらは私たちがいなくなれば、まったくできなかったでしょう。

「そういう役割を担ってください」というのが菅首相から我々に対するメッセージです。とくに抵抗する勢力の勢いが強いので、全体のバランスを崩すのは難しいですが、せめて一つ二つ、三つの息吹を吹き込む。

じつは「霞が関文学」という言葉があって、霞が関の官僚の書く文章には独特の言い回しがあります。「年内にこれについての結論を出す」という一文が入っていれば、それが半歩か〇・二歩かわかりませんが前進なのです。

例えば先日の加藤官房長官の文章の中で、最後に「ＩＣＴを中小企業にも普及させます」といった文言がありました。前後のつながりの悪い文章でしたが、あれは「議事録の中に残った」ということに意味があるのです。官房長官が言ったことだから、「これはきちんと骨太の方針に書く」「成長戦略に書く」となるのです。

そういうことを少しずつ、やっていくしかない。そうすることで国家戦略特区もできましたし、スーパーシティ法案も成立しました。これを今後もやっていく。とくに「競争政策」「公正取引委員会のアドボカシー（唱道）」「中小企業の生産性向上」の三つは重要です。

自民党の部会に「この文言は絶対に入れてくれ」と持っていっても、「この部分は削れ」

などと言われます。そこを譲らず、最終的に「絶対に入れてくれなければ困る！」と押し切る。あるいは菅首相や加藤官房長官、西村官房副長官に直接言って入れてもらう。それでようやく〇・五歩、前進するのです。

「合意形成型政治には何の進展もない」と言ったサッチャー元首相
――デービッド・アトキンソン――

イギリスでは大事な話については「ロイヤル・コミッション（王立委員会）」を作り、国王から指名された人たちが、そこで協議します。アメリカでも、やはり指名された人たちが大統領官邸で何日も協議します。これも三分や五分ではありません。長い時間をかけて、徹底的に聞き出します。それに比べて日本の意思決定は、やはり透明性が低いし、自分の意見を政策決定者にプレゼンする場もありません。

じつは私の地元は、サッチャー元首相の故郷です。イギリスも彼女までは、合意形成型の政治でした。それを彼女は、「合意形成型政治には何の進展もない」と言って変えたのです。

労働党に言った、非常に有名な国会演説もあります。「全員が沈んでも、格差がなくなればいいと思っているんでしょう」と。「でも、そうではない。上も上がるかもしれないけれど、下もきちんとした形で上がる。そのほうがみんながハッピーでしょう」と言ったのです。

「全員が不幸になっても、自分より幸せになる人が憎いんでしょう」とも言いました。あの言葉をこの国でも言ってほしいです。

今の日本は、当時のイギリスと同じです。一九七九年までのイギリスは、労働党による社会主義の塊でした。合意形成型政治ということで、一人が反対すれば何もできない。それが彼女の登場によって、「総理大臣は英断する」となったのです。たんに音頭を取るだけではない、きちんとした政策を実行するのが国のリーダーであると。

翻って日本は実際のところ、どのように国策を決めているのかわかりません。

多くの意見を聞き、一人で決めるのが菅首相

竹中平蔵

サッチャー元首相は、いくつも素晴らしい名言を残しています。「リーダーは嫌われてもいい。好かれなくていい。ただし尊敬されなければならない」「金持ちを貧乏人にしたところで、貧乏人が金持ちになるわけではない」。今の日本で、すごく心地よく響きます。「そ

のために嫌われても構わない」というのは小泉首相も同じでした。

政策決定で言うし小泉首相の場合、経済に関しては諮問会議を作って決めていました。また安倍首相は、どちらかというと総理官邸で元経済産業官僚の今井尚哉《たかや》秘書官や長谷川榮一補佐官を集めて、本音はそこで決めていました。そして今井秘書官が諮問会議や成長戦略会議の方向を後輩の経産官僚に指示していました。

菅首相の場合、小泉首相とも安倍首相とも違います。菅首相はいろいろな人の意見を聞いて、ストンと腹に落ちたことを、どちらかというと一人で決めて実行していきます。そして決める政策は、いわばピンポイントの「点」です。「これをやる」と決めたら、そこはすごくしっかりやります。

本で意見を伝える重要性

デービッド・アトキンソン

以前、二階俊博幹事長に言われたのが「とにかく本を書きなさい」というものです。本を書かないと意見は通らないと。

今「東洋経済オンライン」で連載を続けているのも、自分のために分析するのと同時に、記事を出すことで自分の意見を知らしめるためです。記事を出しても聞きたくない人は無視しますが、事実として残していることを、大切に考えています。

あとがき　日本を強くしたくない「既得権益者」との戦い

「世の中を変えたくない」人たち

二〇二〇年一〇月、菅義偉内閣の成長戦略会議の一員となって以降、私は日本の経済成長に向けて、さまざまな政策提言を行ってきました。その中で痛感したのが日本には既得権益を守りたい、世の中を変えたくない人たちが、いかに多いかということです。

日本経済はこの三〇年、まったく成長していません。給料も上がらず、貧困者数が激増して、国の借金は増えるいっぽうです。少子高齢化は今後さらに進行し、生産年齢人口が減っていくのに対し、高齢者の増加による負担は増えていきます。これを放置すれば一〇年後、二〇年後の日本は、さらに深刻な状況になります。

これを解消するための唯一の方策が生産性の向上で、中でも重要なのが日本企業の九九・七パーセントを占める中小企業の生産性を高めることです。中小企業の生産性を高めれば日本の生産性は上がり、経済も成長するというのが私の主張です。それはあくまでも約七割の日本人労働者が中小企業で働いている以上、その過半数の労働者の生産性が上がらなければ、全体の生産性が上がらないのは論をまたないからです。当たり前すぎて、なぜそれを説明しなければならないのか。小さい子どもでもわかる、疑問の余地がない明白な論理をなぜ批判するかもわかりません。

その生産性向上を実現するには中小企業の連携・再編が一つの選択肢です。生産性が上がれば、給料も増えて、税率を高くしなくても、税収が増えて、財政も健全化します。

立場上、批判されるのは仕事の一つだとわかっていますが、一応その批判に応えたいと思います。ところが世の中を変えたくない人たちは、私の提言について「アトキンソンはM&Aで稼ごうとしている」などと、おかしな言いがかりをつけてきます。

私はかつて外資系の証券会社・ゴールドマン・サックスに勤めていましたが、そこを辞めてすでに一五年近くが経ちます。今の仕事は、国際金融とは何の関係もありません。同期と部下もほとんどいません。株も処分してあります。今は、文化財修復を行う日本の中小企業の一経営者です。にもかかわらず、根も葉もない話を持ち出し、私を貶《おとし》めようとするのです。

あるいは「アトキンソンは日本の中小企業の数は多過ぎると言うが、イギリスも多いではないか」と言う人もいます。しかし私は、「イギリス企業の生産性は高い」「イギリスを見習え」と主張したことなどありません。事実、イギリスも日本と同じように中小企業に働く比率が高くて、生産性が低い国の一つです。生産性世界ランキング二七位の日本に比べて、二四位です。たんに私がイギリス人というだけで、何の理屈にも基づかない、まったく論理的でない批判をぶつけるのです。

「アトキンソンは中小企業の淘汰を進めようとしている」と言う人もいます。これも著書を読んでもらえばわかりますが、私は「淘汰」という言葉を使ったことは一度もありません。中小企業の生産性向上と淘汰は、まったく無関係です。失業者が増えれば生産性は上がりませんから、淘汰によって良いことは一つも生まれません。

それなのに「アトキンソン=中小企業淘汰論」と決めつけるのは、印象操作をして私を悪者にすることで、私の議論も一緒に潰すのが狙いなのでしょう。

そして、これらの批判を受ければ受けるほど、彼らが現状を維持することに、いかに必死かがわかります。繰り返しますが、その本人以外は今の日本経済の状態の下で、いい思いをしている人はいません。現状維持でいい状況ではないのです。今回の対談相手である竹中先生は、私よりはるか以前、小泉内閣が終わる頃から現在に至るまで、同様の批判を受け続けてきています。それでもオピニオンの基軸がぶれないことに、強い意志を感じます。

「どの立場からの発言か」という視点

先の対談でも述べましたが、日本では利権が絡むほど、建設的かつ論理的な議論ができなくなります。既得権者ほど論理性を無視して、頑なに現状を維持したがるからです。かなりまやかしの論理を示すことが多いのです。残念ながら、データ分析など論理的思考が弱い日本では、合成の誤謬が頻繁に使われて、検証されないまま、マスコミに喧伝《けんでん》されることが多いのです。

大事なのは、強固に反対の意見を述べる人に対しては、その人がどのような立場で議論しようとしているかを見極める必要があります。例えば日本商工会議所の三村明夫会頭は、さまざまな論理を展開します。

一部のマスコミは、三村さんが中小企業に働く労働者も含めて、中小企業を代表していると誤解しています。真実のように受け止めます。しかし、商工会議所はあくまで一部の中小企業の経営者の利益の代弁者です。三六〇万社ある中小企業のうちの一二〇万社ぐらいの経営者の利益を守る立場にあります。一方、組合は労働者の立場ですので、企業の持続性より、雇用条件を最も重視する立場です。

私や竹中先生は、日本経済全体の発展や、中小企業で働く人たちと経営者双方の利益を守る立場から、中小企業のあるべき姿を語っています。立場が違います。

正しい方向に政策を導くためには、さまざまな立場の意見を出すのは、もちろん大切なことです。さまざまな提案を基に議論するのはいいことですが、同時にその提案にどこまでの価値・示唆があるか否かを判断することも重要です。合成の誤謬や分解の虚偽を確認するべきです。「エビデンスは確かなのか、論理的な中身になっているのか」などをきちんと分析し、議論に値するのか否かを精査せねばなりません。それをして初めて、有意義な議論が展開できると思います。

さらに私は、出される特定の結論に「こちらが正しい」という絶対的な正解はないと、考えています。それぞれの立場や考え方、背負っているものを総合的に勘案して、最終的に実効性のある政策を考えるのが、本来あるべき姿です。

ところが今は、既得権を持つ「声の大きな勢力」が、自分たちの思うように物事を進めているように思います。この点は絶対に改めていく必要があります。

そしてもう一つ、既得権者の人々に問い質したいのは、「日本人全体の未来を、真剣に考えていますか」ということです。

ここで紹介したいのが、バブル崩壊後に起きた不良債権問題での出来事です。

当時ゴールドマン・サックスのアナリストだった私は、「今、手を打てば不良債権は二〇兆円ですみますが、何もしなければ一〇〇兆円になります」と提言しました。結局、銀行という巨大既得権者の意見を全面的に取り入れてしまった結果、日本政府は何もせず、不良債権は一〇〇兆円を超えました。同じことが、また起ころうとしています。

今、中小企業問題に取り組まなければ、一〇年後、日本の貧困は確実に深刻化します。社会インフラは壊れていてもほとんど放置され、さまざまな機能不全が起こるでしょう。「そんなことはあり得ない」と思うかもしれませんが、一九七〇年代のイギリスがまさにそうなりました。私は子どもでしたが、計画停電が連発して、社会の秩序が崩壊し、不安に満ち溢《あふ》れた社会を実感して育ちました。

大英帝国を築き上げて、世界中から富を奪い、世界一の富を誇っていたイギリスは、わずか七〇年間で世界の笑いものになりました。同じことが起こっても不思議はないと、日本人はもっと真剣に考えるべきです。

既得権益を死守し、構造改革に反対する人の大半は、現在、貧困とは無縁な支配層や上流層です。彼らは「貧困になるのは本人の責任」「能力がないから貧困になる」と主張します。しかし同程度の能力と同程度の生産性を上げているにもかかわらず、海外なら貧困にならない人は日本に大勢います。それは最低賃金が極めて低いからです。日本でだけ貧困になるのは、本人ではなく、社会に構造的な問題があるからです。

そこで私が気になるのが、支配層や上流層の日本人には「自分さえよければいい」と考える人が多いのではないか、ということです。「貧困になる人は、自分とは無関係」と思っているから、社会を変えようとしないのです。社会を動かす力を持つ人間として、それが恥ずかしいこととは、思わないのでしょうか。

日本の成長戦略に関する議論は、もはや「頭の体操」「議論のための議論」の域を通り過ぎています。

コロナ禍の影響もあり、目の前に貧困に苦しむ子どもがいて、教育の機会を失ったり、未来が奪われたりしています。中には自殺する人もいて、文字どおり死活問題なのです。今の日本経済・日本社会は必死になってまでこのまま守るべき価値があるのか大変疑問に思います。

それを踏まえたうえで、本書での竹中先生と私の議論、提案を読み進め、理解していただきたいと思います。我々は一部の支配層や上流層のために、ましてや自らの損得のために、議論や提案をしているわけではありません。

竹中先生はアメリカ流、私はヨーロッパ流と、アプローチの仕方は多少異なると感じます。それでも、貧困に苦しむ人々、未来を奪われそうになっている人々を中心とした日本人全体の未来を、真剣に考え、知恵を絞って、エビデンスを示しながら論理的に改革案を訴えているのです。

本書を通してこの思いをくみ取り、読者の皆さんの行動に転化していただければ幸いです。

二〇二一年六月

デービッド・アトキンソン

[著者略歴]

竹中平蔵（たけなか・へいぞう）

1951年、和歌山県和歌山市生まれ。一橋大学経済学部卒業後、1973年日本開発銀行入行。1981年に退職後、大蔵省財政金融研究室主任研究官、ハーバード大学客員准教授、慶應義塾大学総合政策学部教授などを経て、2001年より小泉内閣で経済財政政策担当大臣、郵政民営化担当大臣などを歴任。現在、慶應義塾大学名誉教授、博士（経済学）、世界経済フォーラム（ダボス会議）理事などを務める。博士（経済学）。ほか公益社団法人日本経済研究センター研究顧問、アカデミーヒルズ理事長、株式会社パソナグループ取締役会長、オリックス株式会社社外取締役、SBIホールディング株式会社社外取締役などを兼職。

著書に『考えることこそ教養である』（クロスメディア・パブリッシング）、『ポストコロナの「日本改造計画」デジタル資本主義で強者となるビジョン』（PHP新書）、『偉人たちの経済政策』（角川新書）、『この制御不能な時代を生き抜く経済学』（講談社+α新書）など多数。

デービッド・アトキンソン

小西美術工藝社社長

1965年イギリス生まれ。日本在住31年。オックスフォード大学「日本学」専攻。裏千家茶名「宗真」拝受。1992年ゴールドマン・サックス入社。金融調査室長として日本の不良債権の実態を暴くレポートを発表し、注目を集める。2006年に共同出資者となるが、マネーゲームを達観するに至り2007年に退社。2009年創立300年余りの国宝・重要文化財の補修を手掛ける小西美術工藝社に入社、2011年同社会長兼社長に就任。2017年から日本政府観光局特別顧問を務める。

著書に『新・日本構造改革論　デービッド・アトキンソン自伝』（飛鳥新社）、『日本人の勝算』『デービッド・アトキンソン 新・観光立国論』（山本七平賞、不動産協会賞受賞）『新・生産性立国論』（いずれも東洋経済新報社）など多数。2016年に『財界』「経営者賞」、2017年に「日英協会賞」受賞。

「強い日本」をつくる論理思考

2021年8月15日　第1刷発行

著　者　竹中平蔵　デービッド・アトキンソン

発行者　唐津 隆

発行所　株式会社ビジネス社

〒162-0805　東京都新宿区矢来町114番地 神楽坂高橋ビル5階

電話　03(5227)1602　FAX　03(5227)1603

http://www.business-sha.co.jp

〈装幀〉尾形忍（スパローデザイン）

〈本文組版〉茂呂田剛（エムアンドケイ）

〈印刷・製本〉三松堂株式会社

〈営業担当〉山口健志

〈編集担当〉中澤直樹

ISBN978-4-8284-2315-9